DESCOBRINDO
PAULO

A história do Apóstolo dos Gentios

Pe. JOSÉ BORTOLINI

DESCOBRINDO PAULO

A história do Apóstolo dos Gentios

DIREÇÃO EDITORIAL:
Pe. Fábio Evaristo Resende Silva, C.Ss.R.

CONSELHO EDITORIAL:
Pe. Ferdinando Mancilio, C.Ss.R.
Pe. Mauro Vilela, C.Ss.R.
Pe. Marlos Aurélio, C.Ss.R.
Pe. Victor Hugo Lapenta, C.Ss.R.

COORDENAÇÃO EDITORIAL:
Ana Lúcia de Castro Leite

COPIDESQUE:
Luana Galvão

REVISÃO:
Cristina Nunes

DIAGRAMAÇÃO E CAPA:
Marcelo Tsutomu Inomata

Dados Internacionais de Catalogação na Publicação (CIP)
(Câmara Brasileira do Livro, SP, Brasil)

Bortolini, José
Descobrindo Paulo: a história do apóstolo dos gentios / José Bortolini. – Aparecida, SP: Editora Santuário, 2016.

ISBN 978-85-369-0415-3

1. Paulo, Apóstolo, Santo 2. Santos cristãos – Biografia I. Título.

16-00187 CDD-282.092

Índices para catálogo sistemático:
1. Santos: Igreja Católica: Vida e obra 282.092

2ª impressão

Rua Pe. Claro Monteiro, 342 – 12570-000 – Aparecida-SP
Tel.: 12 3104-2000 – Televendas: 0800 - 16 00 04
www.editorasantuario.com.br
vendas@editorasantuario.com.br

Introdução

No dia 28 de junho de 2007, o Papa Bento XVI proclamou o Ano Paulino, um ano dedicado a São Paulo, em comemoração dos 2.000 anos do nascimento desse apóstolo, nascido provavelmente entre os anos 5 e 10 de nossa Era. O Ano Paulino começou no dia 29 de junho de 2008 e se encerrou no dia 29 de junho do ano seguinte. O evento pretendia chamar atenção para esse campeão da fé e da evangelização fora da Palestina. Era uma oportunidade para conhecer melhor a vida de Paulo e suas cartas, uma ocasião para criar laços de amizade com ele, sentir profundamente sua paixão pelo Senhor Jesus, paixão expressa no amor à evangelização. Quem ama Jesus não deixa de anunciá-lo.

A partir disso, Paulo passou a ser amado por mais pessoas. É a elas que se destina este livrinho, resultado da história de uma paixão.

"Eu lhes falo com franqueza: meu coração está aberto para vocês... Paguem a nós com a mesma moeda. Eu lhes falo como a filhos; abram também o coração de vocês" (2 Coríntios 6,11.13).

1

Quem é Paulo?

Um judeu nascido na diáspora, isto é, fora da Palestina. Os judeus da diáspora tinham geralmente dois nomes – um judeu (Saulo ou Saul) e outro "inculturado" (Paulo). Nascer e viver até os 15 anos fora da Palestina ajudou-o na formação de seu caráter e personalidade, pois os judeus da diáspora eram normalmente mais tolerantes e abertos aos não judeus e seus valores culturais. Por exemplo: os judeus da Palestina tinham o hebraico como única língua sagrada, que Deus usou para se revelar, dando origem ao Antigo Testamento. Paulo, ao contrário, conheceu e estudou o Antigo Testamento em uma tradução grega conhecida como Setenta.

Tarso, sua cidade natal, era o que se pode chamar de "cidade universitária", famosa por abrigar filósofos importantes, como os estoicos, cínicos, sofistas etc. Paulo adolescente bebeu dessas águas e, em suas cartas, nota-se que ele se serviu dos valores desses grupos para anunciar Jesus. O fato de ter nascido em uma grande cidade – supõe-se que Tarso tivesse 200 mil habitantes – foi significativo na vida dele. De fato, Paulo se destacou como evangelizador das metrópoles com suas culturas.

Característica principal de Paulo é sua abertura aos não judeus, a fim de lhes levar o anúncio de Jesus Cristo. Não fosse por ele e pela comunidade de Antioquia da Síria que ele representava, aquilo que mais tarde se chamaria "cristianismo" seria um simples ramo do judaísmo, talvez morrendo sufocado dentro da Palestina. Paulo deu asas ao cristianismo na condição de pioneiro.

"Sou ministro de Jesus Cristo entre os pagãos, e minha função sagrada é anunciar o Evangelho de Deus, a fim de que os pagãos se tornem oferta aceita e santificada pelo Espírito Santo" (Romanos 15,16).

2

Homem de várias culturas

Como judeu, e mais ainda como fariseu, Paulo conhecia a fundo a cultura de seu povo, sobretudo após os 15 anos, quando se mudou de Tarso para Jerusalém, formando-se rabino sob a direção do mestre Gamaliel. Foi nesse tempo que estudou a fundo o Antigo Testamento, agora em hebraico. Com isso ele se tornou pessoa culta e bem preparada, tendo acesso ao que havia de melhor em termos de educação no mundo judaico.

Todavia, quando percorreu o mundo conhecido, anunciando aos pagãos a pessoa de Jesus e, mais tarde, escrevendo às comunidades, ele o fez na língua grega, que conhecia desde a infância. A língua é portadora e expressão da cultura de um povo. Paulo dominava ambas as coisas. É provável que falasse também o latim, língua do Império Romano.

Comparando Paulo e Jesus percebemos como foi decisiva a presença desse apóstolo na expansão do Evangelho. Jesus limitou sua pregação basicamente ao povo judeu e ao pequeno território da Galileia. Paulo, por sua vez, evangelizou continentes (Ásia, Europa). De Jesus se diz que pregava nas sinagogas; Paulo, a certa altura da vida, abandonou a sinagoga e fundou comunidades cristãs nas casas – as igrejas domésticas.

A linguagem e os símbolos usados por Jesus no anúncio do Reino revelam uma cultura ligada à terra, à vida dos camponeses e pescadores (pastor e ovelhas, pássaros e peixes, sementes e flores, trigo e joio etc.). A linguagem e os símbolos que Paulo usa são tirados do cotidiano das grandes cidades (jogos e atletas, parada militar...), sinal de que encontrou o jeito certo de anunciar Jesus às pessoas de cultura urbana.

"Fiz questão de anunciar o Evangelho onde o nome de Cristo ainda não havia sido anunciado" (Romanos 15,20).

3

Paulo conheceu Jesus?

Paulo não é do grupo dos doze apóstolos citados nos Evangelhos e Atos dos Apóstolos. Isso lhe rendeu problemas, pois alguns lhe negaram esse título importante (cf. 1 Coríntios 9,1-2). Ele, contudo, sempre defendeu seu apostolado como algo que vinha do próprio Deus. Basta conferir o começo de suas mais importantes cartas – Romanos, 1 e 2 Coríntios, Gálatas...

As pessoas que negavam a Paulo a qualidade de apóstolo defendiam este princípio: somente quem esteve com Jesus de Nazaré é que pode ser chamado "apóstolo". E Paulo não esteve, portanto...

Apesar daquilo que afirma em 2 Coríntios 5,16, pode-se com certeza dizer que Paulo não conheceu pessoalmente Jesus de Nazaré. Isso levanta a seguinte questão: onde estava Paulo quando Jesus foi condenado, morto e ressuscitado? Provavelmente em Jerusalém. Dos 15 aos 30 anos – idade exigida para se tornar rabino – Paulo deve ter morado aí, de modo que estava lá quando Jesus foi condenado à morte no ano 30 (ou 33). Os doze haviam recebido de Jesus o mandato de percorrer o mundo para anunciar a mensagem. Paulo teve de defender seu Evangelho como algo recebido diretamente de Deus (cf. 2 Coríntios 12,1ss e Gálatas 1,1ss).

É provável que mais tarde, tendo completado 30 anos, ele se tornou membro do Sinédrio, o Supremo Tribunal dos judeus que condenou à morte o Senhor. Essa possibilidade é tirada de Atos 26,10. Aí se fala de "votar" a favor ou contra a perseguição dos cristãos. Só os membros do Sinédrio é que podiam votar. E Paulo votou "sim".

"Mesmo que tenhamos conhecido Cristo segundo as aparências, agora já não o conhecemos assim" (2 Coríntios 5,16).

Paulo caiu do cavalo?

A expressão "cair do cavalo" faz parte de nossa cultura, e isso se deve à cena bíblica conhecida como "Conversão de Paulo" (Atos dos Apóstolos 9,1-19). Mas nem aqui, nem nas outras duas narrativas do mesmo episódio (22,5-16; 26,9-18) se fala de queda de cavalo. É interessante também perceber que Paulo, nas cartas, jamais menciona esse episódio, narrado três vezes pelo autor dos Atos.

Costumamos chamar esse episódio de conversão, mas na verdade se trata de um texto vocacional, e é preferível chamá-lo de "vocação de Paulo". De fato, a cena está construída sobre o molde das narrativas vocacionais da Bíblia, como a vocação de Moisés (Êxodo 3), de Jeremias (capítulo 1), de Isaías (capítulo 6), de Maria (Lucas 1) e de tantos outros personagens importantes da história do povo de Deus.

O esquema vocacional comum a todos esses episódios pode ser resumido nestes passos: **1.** A pessoa vocacionada recebe uma visão fantástica, que faz pensar no próprio Deus (a sarça ardente para Moisés, o anjo para Maria, uma luz forte para Paulo). **2.** A pessoa que recebeu a visão se sente frágil e pequena (Paulo cai por terra). **3.** O ser misterioso da visão encoraja (no caso de Maria, "não tenha medo"). **4.** Confirmação da missão.

Podemos, assim, afirmar que a cena conhecida como "conversão" de Paulo é, na verdade, um episódio vocacional, anunciado ao mundo inteiro: aos pagãos (contexto de Atos 9), aos judeus (contexto de Atos 22) e aos reis (contexto de Atos 26), conforme está dito em 9,15.

Pode-se continuar falando de conversão de Paulo? De que modo? É o que tentaremos explicar a seguir.

"Aquilo que sou, eu o devo à graça de Deus; e sua graça dada a mim não foi estéril" (1 Coríntios 15,10).

5

Um fariseu irrepreensível

Os Evangelhos, de modo geral, apresentam os fariseus como pessoas fingidas, hipócritas, falsas. Isso sem dúvida não pode ser dito de Paulo fariseu (palavra que significa "separado" do povo pobre e pecador, que não pratica a Lei; veja Lucas 18,9-14; Gálatas 1,14). Ele afirmou ter sido um fariseu irrepreensível (Filipenses 3,6). Era, pois, uma pessoa certinha, ninguém podia acusá-lo de nada. Exatamente por isso é que se deve falar de conversão em Paulo. Por quê?

De modo geral, os fariseus tinham uma visão própria de Deus, das pessoas, das coisas e do mundo. Eles pensavam que as pessoas, vivendo retamente, obrigariam Deus a intervir, premiando com o envio do Messias. A vinda do Messias, portanto, seria o prêmio de Deus pela retidão do povo. Os pobres, analfabetos e pecadores – por não conhecer e não praticar a Lei – eram malditos (João 7,49), pois atrasavam a chegada do Messias. Quando todos tivessem alcançado a irrepreensibilidade, então Deus seria obrigado a ser bom, a recompensar com o envio do Messias. De alguma forma, Deus poderia ser manipulado pelas pessoas.

Antes de conhecer Jesus Cristo, era assim que Paulo pensava. Depois de conhecer Jesus, tudo mudou; o que era ganho se torna perda, o que era lucro passa a ser lixo, esterco (Filipenses 3,7ss). Enquanto fariseu, Paulo pensava ter alcançado a perfeição. Enquanto seguidor de Jesus, ele se viu como atleta que corria para alcançá-lo. Por quê? Duas frases em suas cartas ajudam a entender a mudança: Gálatas 2,20 e Romanos 5,8. A chegada do Messias é a máxima expressão do amor gratuito de Deus, e não mérito nosso.

"Deus demonstra seu amor para conosco, porque o Messias morreu por nós quando ainda éramos pecadores" (Romanos 5,8).

6

Dando um tempo

A ousadia com que Paulo anunciava Jesus acabou por incomodar muita gente. Nos Atos dos Apóstolos, Lucas mostra o contraste: em Damasco, o perseguidor começou a ser perseguido por causa de Jesus (9,20ss). Nem os seguidores de Jesus, que estavam em Jerusalém, acreditavam em Paulo, exceto Barnabé, homem iluminado, que tentou aproximar Paulo dos demais apóstolos (9,26ss). Sem sucesso.

E Paulo foi curtir cerca de cinco anos de silêncio em Tarso, sua terra. Nada se sabe acerca desse período – muito longo para Paulo, acostumado a não ficar parado. Pode ter sido nessa ocasião que evangelizou a Galácia, fundando as comunidades gálatas. Mais tarde, escrevendo a essas comunidades, confessou que havia males que viriam para o bem. Uma enfermidade – talvez nos olhos – deteve-o nessa região, fato que proporcionou o anúncio de Jesus Cristo e a fundação de comunidades. Se subsistia nele algum preconceito farisaico acerca dos pagãos, estes se encarregaram de fazê-lo desaparecer: "Eu dou testemunho de que, se fosse possível, vocês teriam arrancado os próprios olhos para me dar" (Gálatas 4,15).

O longo tempo de silêncio de Paulo em Tarso é um mistério que ninguém consegue explicar. Mas uma coisa é certa: ele saiu mais fortalecido desse anonimato, mais convicto e bem preparado para a missão que o esperava. Vai soar a hora de Deus.

"Saulo também falava e discutia com os judeus de língua grega, mas eles procuravam um jeito de o matar. Quando souberam disso, os irmãos levaram Saulo para a cidade de Cesareia e daí o mandaram para a cidade de Tarso" (Atos 9,29-30).

7

Comunidade aberta

Sem ter por trás dos bastidores a comunidade de Antioquia da Síria, Paulo não teria realizado tudo o que sabemos. Isso serve para mostrar a importância de comunidades abertas e corajosas para levar adiante a missão. A comunidade de Paulo não é a de Jerusalém, mas a de Antioquia da Síria. A diferença entre elas é enorme. Os cristãos de Jerusalém eram todos judeus e por muito tempo agiram como judeus (Atos 21,17ss). Ao contrário, a comunidade de Antioquia da Síria não estava ligada ao Templo de Jerusalém. Os Atos dos Apóstolos (11,19-26) nos informam que se trata de comunidade internacional, multirracial e multicultural, aberta aos não judeus. Nela há negros, asiáticos, africanos, judeus e não judeus.

Os cristãos de Jerusalém se deram conta da novidade e enviaram para lá Barnabé, como interventor. Mas Barnabé era homem de Deus, guiado pelo Espírito. Ele não viu bagunça na diversidade, mas detectou a presença da graça. E, em vez de bronca ou proibições, incentivo.

Mais ainda. Barnabé não esqueceu que Paulo estava isolado em Tarso. E foi à procura dele, levando-o a Antioquia. Ela passou a ser a comunidade de Paulo. Dessa comunidade nasceram coisas importantes, e salientamos duas: **1.** Abertura para o mundo mediante as viagens (Atos 13,1-3). Não fosse isso, o cristianismo não teria saído da Palestina e, provavelmente, desapareceria. **2.** É nessa comunidade que se forja a identidade dos seguidores de Jesus: eles passam a se chamar "cristãos" (11,26).

"O Espírito Santo disse: 'Separem para mim Barnabé e Saulo, a fim de fazerem o trabalho para o qual os chamei'" (Atos 13,2).

8

Sem endereço fixo

Apesar de estar ligado a uma comunidade, era difícil encontrar Paulo "em casa". Ele próprio afirmou ser um evangelizador sem endereço fixo (1 Coríntios 4,11), e garantiu ter feito muitas e perigosas viagens (2 Coríntios 11,26), por mar e por terra. As andanças de Paulo sugerem um tipo de cristianismo itinerante, a ponto de ser chamado simplesmente "o Caminho" (Atos dos Apóstolos 9,2). Paulo seguiu assim o exemplo do Jesus caminheiro do Evangelho de Lucas (9,51-19,27).

As viagens eram feitas de navio e a pé. Por terra ele viajava pelas estradas do Império Romano, que uniam as principais cidades e tornavam fácil a comunicação (correios), a dominação pelas armas e o escoamento dos tributos que os povos dominados pagavam. Paulo deve ter percorrido essas estradas, que dispunham de albergues a cada 30 quilômetros. Tudo isso custava, pois Paulo andava sempre acompanhado de colaboradores na evangelização (cf. Atos dos Apóstolos 20,34); às vezes pedia socorro às comunidades (Romanos 16,1-2; 1 Coríntios 16,6ss).

Do ponto de vista dos Atos dos Apóstolos, as viagens de Paulo foram muito importantes. De fato, mais da metade do livro é dedicada às andanças do Apóstolo para levar a mensagem de Jesus Cristo aos pagãos. Esse livro é como uma ponte. Uma cabeceira está em 1,8 (tarefa de levar o testemunho do Senhor até os confins do mundo); a outra é a chegada de Paulo a Roma, coração do Império e "confins do mundo" no pensamento de Lucas. Se depois disso Paulo voltou a viajar, não o sabemos.

"Fiz muitas viagens e sofri perigos nos rios, perigos por parte dos ladrões..." (2 Coríntios 11,26).

9

Primeira viagem de Paulo

Do capítulo 13 em diante – exceto o capítulo 15 – os Atos dos Apóstolos narram as viagens de Paulo, que Lucas organizou e resumiu em torno de alguns elementos comuns. De fato, cada viagem tem uma *característica principal*. Além disso, Lucas narra um *milagre* de Paulo (que faz as mesmas coisas que Jesus fez), um *discurso* ou pregação, que resume a catequese; a cada viagem, os ouvintes de Paulo são diferentes. Lucas mostra ainda o *Evangelho superando a magia* e um episódio no qual Paulo sofre uma *tribulação*. Ponto de partida e de chegada é a comunidade de Antioquia da Síria, da qual nasce a missão entre os pagãos.

A primeira viagem aconteceu entre os anos 46-48 e é narrada em Atos dos Apóstolos 13-14. Sua característica: *Deus abriu aos pagãos a porta da fé* (14,27). O muro que separava a humanidade em dois grupos desapareceu. O Deus dos cristãos é o Deus de todos.

A viagem foi feita por mar e por terra. Paulo viajou com Barnabé e João Marcos. Os elementos comuns são estes: **1.** A *Palavra de Deus vai vencendo a magia*, pois a magia aliena e embauca as pessoas (episódio do mago Elimas na ilha de Chipre, 13,4-12). **2.** Lucas mostra Paulo fazendo uma *pregação* na sinagoga de Antioquia da Pisídia (13,13-41). Os judeus reagem com violência ao testemunho de Paulo, perseguindo-o de cidade em cidade; os pagãos aderem com alegria, formando comunidades. **3.** Narra-se um *milagre* de Paulo (em Listra, 14,8-10). **4.** Os Atos dos Apóstolos relatam o *apedrejamento* de Paulo nessa mesma cidade (14,19-20).

"Quando chegaram a Antioquia reuniram a comunidade e contaram... como Deus tinha aberto a porta da fé para os pagãos" (Atos dos Apóstolos 14,27).

Segunda viagem de Paulo

A segunda viagem de Paulo aconteceu entre os anos 49-52 e é resumida em Atos 15,36-18,23. Como a primeira, também a segunda começou e terminou em Antioquia da Síria. Paulo viajou com Silas, Timóteo e talvez Lucas. De fato, a partir de 16,10, os acontecimentos são narrados na 1ª pessoa do plural (nós), e isso permite afirmar que também Lucas pertence à equipe de Paulo. A grande característica da segunda viagem é esta: *o Evangelho entra na Europa*. Um episódio, desconhecido a nós e que Lucas atribuiu ao Espírito Santo, impediu o grupo de continuar a evangelização na Ásia.

Um macedônio (isto é, um europeu) apareceu a Paulo em uma visão e pediu ajuda (16,9-10). O testemunho de Jesus, desse modo, entrou no continente europeu pela cidade de Filipos. Aí não havia sinagoga, e isso fez surgir a grande novidade, o nascimento da primeira comunidade cristã europeia. Ela nasceu justamente na casa de Lídia, mulher asiática, natural de Tiatira, comerciante de púrpura. O episódio foi muito importante, pois despertou a liderança da mulher cristã, que em sua casa acolheu e liderou a comunidade dos fiéis.

Em um mesmo episódio (16,16-24), Lucas concentrou um dado cultural iluminado pelo Evangelho (a Palavra superando a magia), um milagre de Paulo (exorcismo, como fez Jesus) e a consequente tribulação (açoites com varas).

Lucas reservou o discurso de Paulo para as elites intelectuais da cidade de Atenas (17,22-31). Também os não judeus ouviram falar de Jesus.

"... procuramos partir imediatamente para a Macedônia, pois estávamos convencidos de que Deus acabava de nos chamar para anunciar aí a Boa Notícia" (Atos dos Apóstolos 16,10).

Terceira viagem de Paulo

A terceira viagem de Paulo aconteceu entre os anos 53-57 e é resumida em Atos dos Apóstolos 18,23-21,17. Ela começou em Antioquia da Síria, mas terminou em Jerusalém, provavelmente contra a vontade de Paulo, que foi levar o resultado do mutirão internacional de solidariedade e acabou preso.

O pivô da terceira viagem foi a cidade de Éfeso, uma metrópole e capital da Ásia. Por dois anos (19,10) Paulo deu aulas na escola de Tiranos. Mais adiante, no discurso de despedida, falou de três anos vividos nessa cidade (20,31). Lucas sintetiza esse tempo com uma frase: "todos os habitantes da Ásia, judeus e gregos, puderam ouvir a Palavra do Senhor" (19,10b). É a principal característica dessa viagem. Lucas nada diz, mas este período se caracteriza também pela comunicação por carta. São dessa época, com certeza, as cartas aos Coríntios e aos Gálatas e, provavelmente, também Filipenses, Filêmon (Efésios, Colossenses). Pouco depois, em Corinto, nasce a carta aos Romanos.

Nesse tempo, Paulo enfrentou muitos problemas, como a questão dos exorcistas judeus itinerantes (19,13-16) e a queima de livros de magia (19,18-19). O conflito ou tribulação explodiu também nessa viagem (19,23-41). Lucas narra também um milagre de Paulo, a ressurreição de Êutico (20,7-12) e registra um discurso do apóstolo (20,18-35).

Os sofrimentos de Paulo nessa cidade foram mais intensos do que se narra em Atos dos Apóstolos. Em 1 Coríntios 15,32 ele fala de luta com as feras (pessoas ou animais ferozes?), e em 2 Coríntios 1,8-9 garante que o duro sofrimento em Éfeso o fizera perder toda esperança de sobreviver.

"... todos os habitantes da Ásia, judeus e gregos, puderam ouvir a Palavra do Senhor" (Atos dos Apóstolos 19,10b).

12

Quarta viagem de Paulo

A quarta viagem de Paulo aconteceu entre os anos 59-62 e é resumida em Atos dos Apóstolos 21,17-28,16. Ela começou em Jerusalém e terminou em Roma, para onde foi conduzido o prisioneiro Paulo. Como foi anunciado em Atos 9,15, este foi o momento privilegiado para que Paulo desse testemunho de Jesus diante dos pagãos, dos reis e do povo de Israel. Nessa viagem, os discursos (pregação) foram vários.

Preso como homem perigoso e inimigo do povo, Paulo foi sendo sucessivamente declarado inocente nos tribunais por onde passou. Esses episódios fazem pensar em Jesus, também declarado réu de morte, apesar de inocente. Um detalhe interessante: aos poucos, durante a longa tempestade no mar, o prisioneiro Paulo se transformou em salvador de todos os que estavam no navio.

A grande característica da quarta viagem foi a chegada de Paulo a Roma e, com ele, o testemunho de Jesus alcançou "os confins do mundo", a capital do Império. Cumpriu-se dessa forma aquilo que o Senhor havia dito aos discípulos em Atos 1,8: eles seriam testemunhas suas começando por Jerusalém até os confins do mundo.

A quarta viagem foi marcada passo a passo pelos sofrimentos causados pelas prisões. No capítulo 28, narram-se milagres de Paulo, além do episódio em que o Evangelho enfrenta a magia.

"Foi esse o motivo que muitas vezes me impediu de visitar vocês. Mas agora já não tenho tanto campo de ação nessas regiões. E porque há muitos anos tenho grande desejo de visitá-los, quando eu for para a Espanha, espero vê-los por ocasião de minha passagem. Espero também receber ajuda de vocês para ir até lá, depois de ter desfrutado um pouco a companhia de vocês" (Romanos 15,22-24).

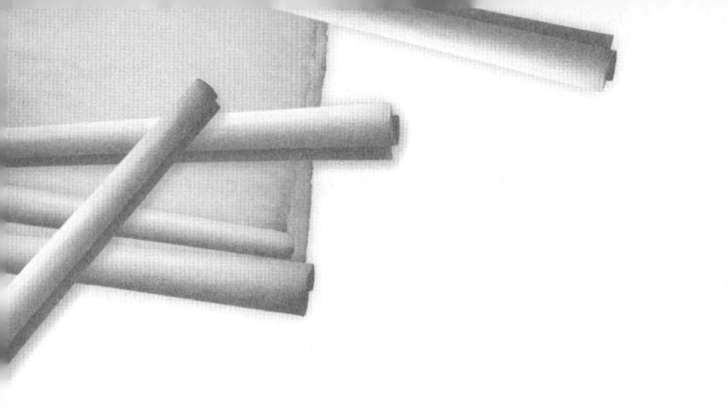

13

Sem morada fixa

Não é possível saber se Paulo, após sua primeira prisão em Roma, teve tempo de viajar à Espanha ou não, conforme havia planejado (Romanos 15,24.28) ou se pôde regressar à Ásia, segundo o que escreve a Timóteo e a Tito. A paixão por Jesus o fez percorrer primeiramente a Ásia e depois a Europa, fato que levou alguns a afirmar: "Faltaram povos a Paulo, mas não faltou Paulo aos povos".

Paulo viveu de favor (Atos dos Apóstolos 18,1ss). Ele próprio declarou não possuir morada fixa (1 Coríntios 4,11). Embora estivesse ligado a uma comunidade – a comunidade de Antioquia da Síria –, seu projeto de não chover no molhado o levava a praticar uma evangelização itinerante, buscando sobretudo as grandes cidades do Império Romano.

A mobilidade de Paulo tem algo a dizer também para nós. Evangelizar com os meios de comunicação, para os quais não há fronteiras, pode ser um modo moderno de praticar a evangelização itinerante.

O estilo de Paulo fez escola, de modo que lendo os Atos dos Apóstolos e as cartas percebe-se que um considerável número de pessoas seguiu seus passos, fazendo recordar o que Jesus disse aos apóstolos nesse aspecto (Marcos 10,28ss). Certamente, Paulo foi um dos que levaram a sério as palavras de Jesus.

"Sou ministro de Jesus Cristo entre os pagãos, e minha função sagrada é anunciar o Evangelho de Deus, a fim de que os pagãos se tornem oferta aceita e santificada pelo Espírito Santo. Fiz questão de anunciar o Evangelho onde o nome de Cristo ainda não havia sido anunciado, a fim de não construir sobre alicerces que outro havia colocado" (Romanos 15,16.20).

14

Fundador de comunidades

É impossível pensar Paulo sem ter presente as comunidades que nasceram como resposta a sua pregação. Nem é possível dizer com exatidão quantas comunidades ele fundou, reunindo pessoas nas casas (igrejas domésticas). As comunidades que receberam uma ou mais cartas de Paulo eram menos numerosas do que aquelas que não a receberam.

A estratégia pastoral de Paulo foi bastante clara: privilegiava os grandes centros urbanos, fundando aí um núcleo cristão. Esse pequeno grupo, que se reunia nas casas, crescendo em número, sentia a necessidade de dar origem a outros grupos na mesma cidade ou nas cidades menores do entorno. Dessa forma, aos poucos, Paulo creu atingir as aldeias, em uma evangelização que pode ser chamada "em rede".

Várias comunidades surgiram em momentos difíceis. Os Atos dos Apóstolos registraram inúmeras dificuldades e perseguições, dando a impressão de que o sofrimento e a tribulação eram partes integrantes da missão.

Algumas comunidades proporcionaram grandes preocupações ao apóstolo Paulo. Foi o caso das comunidades de Corinto e da Galácia.

Ao lado de muito sofrimento, encontramos a ternura e o carinho com que Paulo tratou suas comunidades. Foi o apóstolo que fez as vezes de pai e mãe. Se não é possível pensar em Paulo sem associá-lo a uma comunidade, o mesmo se diga da pessoa que aceita Jesus em sua vida: sua fé desemboca na comunidade.

"E isso para não contar o resto: minha preocupação cotidiana, a atenção que tenho por todas as igrejas. Quem fraqueja, sem que eu também me sinta fraco? Quem cai, sem que eu me sinta com febre?" (2 Coríntios 11,28-29).

15

Como Paulo queria as comunidades?

Paulo usava várias metáforas para explicar a passagem provocada pela fé em Jesus Cristo. Ele falava do banho, da troca de roupa, do resgate de escravos, do homem novo, dos filhos da luz, do brilho das estrelas etc.

A mudança da vida pagã – chamada de "abandono dos ídolos" – para a vida de cristão exige refazer todas as relações, vivendo em um clima novo: a fraternidade. Dessa forma, as comunidades cristãs se tornaram fermento na massa, luz na escuridão, modo novo de ver as coisas, o mundo e as pessoas.

Se havia uma situação que deixava Paulo furioso, era quando as comunidades clonavam o estilo de vida de quando viviam relações de injustiça, como se a passagem nada significasse e não tivesse nenhuma repercussão na vida das pessoas. Em outras palavras, as comunidades eram o lugar em que se vivia a novidade cristã.

Uma das características dessas comunidades era a solidariedade. A fé em Jesus Cristo levava as pessoas a refazerem a vida inteira. Desapareciam assim todas as diferenças oriundas de raça, condição social e gênero, na linha do que Paulo afirmou em Gálatas 3,28: "Não há diferença entre judeu e grego, entre escravo e homem livre, entre homem e mulher, pois todos vocês são um só em Jesus Cristo". Em poucas palavras, comunidades de iguais. Além disso, eram comunidades abertas, dispostas a viver a novidade cristã.

"Mas vocês se lavaram, foram santificados e reabilitados pelo nome do Senhor Jesus Cristo e pelo Espírito de nosso Deus. Alguém pagou alto preço pelo resgate de vocês. Portanto, glorifiquem a Deus no corpo de vocês" (1 Coríntios 6,11.20).

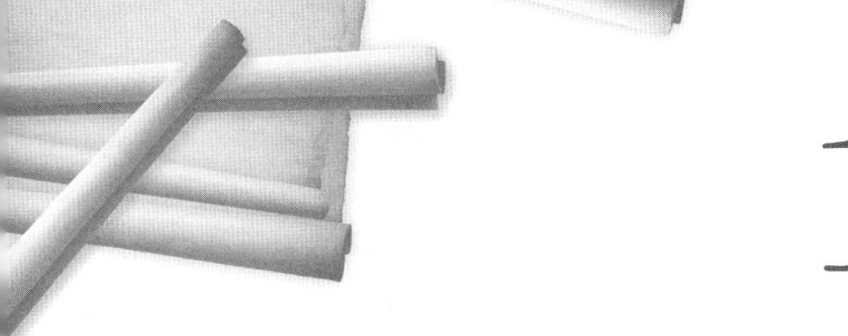

16

As cartas de Paulo

Costumamos dividir as cartas de Paulo em cartas autenticamente paulinas e cartas chamadas deuteropaulinas. As cartas paulinas são: Romanos 1 e 2, Coríntios, Gálatas, Filipenses, 1 Tessalonicenses, Filêmon. As deuteropaulinas são as demais: Efésios, Colossenses, 2 Tessalonicenses, 1 e 2 Timóteo e Tito.

As cartas foram uma etapa posterior no processo de evangelização. Normalmente Paulo se dirigia a um grande centro urbano, fundava aí uma comunidade, dava-lhe uma formação básica, que seria completada com futuras visitas dele ou de um companheiro. Na impossibilidade disso, enviava-se uma carta, esclarecendo, corrigindo, estimulando.

As cartas de Paulo foram escritos ocasionais, destinadas a ajudar as comunidades a resolverem seus problemas. Paulo foi uma pessoa preocupada com problemas concretos, e não com teorias. Suas cartas foram ocasionais, porque mexeram com o cotidiano das comunidades. Nem sempre a orientação dada a determinada comunidade valia igualmente para outras.

Normalmente Paulo ditava suas cartas, que deviam ser lidas na comunidade reunida. Às vezes, pedia que houvesse troca de cartas entre as comunidades. Escrever uma carta era tarefa delicada e custosa: materiais, copista, correio etc. As cartas de Paulo, antes mesmo que surgissem os Evangelhos, mereceram por parte das comunidades um tratamento especial. Por isso se conservaram e chegaram a nós.

"Nossa carta de recomendação são vocês mesmos, carta escrita em nossos corações, conhecida e lida por todos os homens. De fato, é evidente que vocês são uma carta de Cristo, da qual nós fomos o instrumento" (2 Coríntios 3,2-3).

17

Primeira carta aos Tessalonicenses

A primeira carta aos Tessalonicenses é o livro mais antigo do Novo Testamento. Foi escrita em Corinto (Grécia) no começo do ano 51. As razões que levaram Paulo, Silvano e Timóteo a escrevê-la são as seguintes: o retorno de Timóteo trazendo boas notícias e alguns problemas da comunidade exigindo respostas. Além disso, a saudade, o desejo de voltar a rever a comunidade, partilhando a fé comum e o amor.

Paulo agradeceu a Deus a fé ativa, o amor capaz de sacrifícios e a firme esperança dos tessalonicenses. A fé ativa levou esses cristãos a abandonar os ídolos mudos, para servir ao Deus vivo e verdadeiro. Resultado dessa mudança foi o surgimento de comunidades em que se viviam relações totalmente novas marcadas pela fraternidade. Esse novo clima projetou a comunidade para o futuro, ou seja, gerou a esperança.

A esperança, ou a falta dela, era uma das preocupações da carta. Acreditando que o fim do mundo estava para acontecer, alguns cristãos se desesperaram com a morte de pessoas queridas, pois para elas tudo estaria acabado. A carta procura apresentar nova visão da morte e do mundo futuro.

A carta revela um clima de alegria, esperança e otimismo. No capítulo 2, Paulo se apresenta como mãe carinhosa e como pai preocupado com bem da comunidade de modo geral. Em um ambiente marcado pelo desinteresse de uns para com os outros, a carta afirma que a comunidade é o lugar em que uns se preocupam com os outros.

"Diante de Deus nosso Pai nos lembramos sempre da fé ativa, do amor capaz de sacrifícios e da firme esperança que vocês depositam em nosso Senhor Jesus Cristo" (I Tessalonicenses 1,3).

18

Segunda carta aos Tessalonicenses

A segunda carta aos Tessalonicenses apresenta os mesmos autores da primeira, mas há estudiosos que duvidam de sua autoria paulina. Por isso é que se considera deuteropaulina. Se é de Paulo, deve ter sido escrita logo depois da primeira, em Corinto, por volta do ano 51.

A grande preocupação dessa carta é a esperança, associada ao tema do fim do mundo e à segunda vinda do Senhor Jesus. Alguns cristãos deixaram suas atividades, vivendo ociosamente e sendo um peso para os outros. Isso porque imaginavam não valer a pena trabalhar, visto que o fim do mundo estaria próximo.

A linguagem dessa carta é um tanto estranha para nós. Trata-se de linguagem apocalíptica, com imagens fortes e às vezes assustadoras. Importante neste caso é descobrir os sinais de esperança aí presentes. De fato, a carta transmite uma alegre certeza: o bem vai vencer o mal, a vida será vitoriosa sobre a morte etc.

A carta desautoriza qualquer tipo de especulação acerca da data do fim do mundo. Em troca, sugere como viver em meio a esses fatos. Em outras palavras, deixar de se preocupar com o quando para voltar-se ao como agir nessas circunstâncias.

A mensagem dessa carta aponta para uma realidade desafiadora: na sociedade, convivem coisas boas e coisas ruins. Os projetos das pessoas podem favorecer a vida ou a morte. Tarefa do cristão é resistir a toda forma de organização do mal, para que vença o bem.

"Temos plena confiança no Senhor de que vocês fazem e continuarão a fazer o que mandamos. Que o Senhor lhes dirija o coração para o amor a Deus e a perseverança de Cristo" (2 Tessalonicenses 3,4-5).

19

Carta aos Filipenses

Filipenses é provavelmente um conjunto de três cartas, escritas em tempos distintos. A mais antiga está no fim (4,10ss), em que o prisioneiro Paulo agradece a ajuda material que os filipenses lhe enviaram por meio de Epafrodito. Paulo eleva a partilha dos bens à condição de liturgia.

A terceira carta compreende basicamente o capítulo 3. Aí Paulo se mostrou muito preocupado com a influência na comunidade de pessoas que afirmaram a necessidade da circuncisão como condição para se obter a salvação.

Paulo apresentou sua experiência de vida quando era fariseu. Todo o esforço do Paulo fariseu se tornou lixo diante da novidade trazida por Jesus Cristo.

A segunda carta compreende basicamente os capítulos 1 e 2. Paulo ainda está preso (provavelmente em Éfeso, por volta do ano 54) e reflete sobre a liberdade, a vida e a morte. Para ele, a morte seria o encontro com seu Senhor, mas a vida fala mais alto, pois é uma vida dedicada ao anúncio do Evangelho.

Nessa carta encontramos um dos mais profundos hinos que celebram a vida e a ação de Jesus Cristo. É a carta que mais fala de alegria, apesar dos sofrimentos e da prisão. Nela Paulo deu a conhecer um pouco de seu caráter e personalidade: terno, severo, grato.

A carta mostra como a comunidade estava organizada com seus dirigentes e diáconos (1,1). Mostra também a fragilidade deles, quando brigam entre si (4,2-3). Os desentendimentos são algo natural, e a busca do bem comum um desafio permanente.

"Deus é testemunha de que eu quero bem a todos vocês com a ternura de Jesus Cristo... Para mim o viver é Cristo e o morrer é lucro" (Filipenses 1,8.21).

20

Primeira carta aos Coríntios

Escrita em Éfeso por volta do ano 54, a primeira carta aos Coríntios contém uma série de problemas vividos pelas comunidades: grupos que brigam entre si, escândalos, como o caso de alguém que convive com sua madrasta, recurso aos tribunais pagãos, prostituição... O capítulo 7 apresenta uma série de dúvidas acerca do matrimônio, da virgindade e da escravidão. No capítulo 8, Paulo orienta os cristãos diante do tema das carnes oferecidas aos ídolos. O tema se prolonga até o início do capítulo 11. A grande preocupação de Paulo era com as pessoas de fé frágil. Ele pediu aos que têm fé esclarecida que não fossem motivo de queda para os irmãos fracos na fé.

Os capítulos 11 a 14 tratam da ordem nas celebrações comunitárias: o véu das mulheres, a Ceia do Senhor e os carismas. Finalmente, no capítulo 15, Paulo aborda o delicado tema da ressurreição dos mortos, pois para muitos coríntios não havia ressurreição, pondo a perder o núcleo central da fé cristã.

No último capítulo, entre outras coisas, fala-se da coleta em favor dos cristãos empobrecidos de Jerusalém.

"Portanto, irmãos, vocês que receberam o chamado de Deus, vejam bem quem são vocês: entre vocês não há muitos intelectuais, nem muitos poderosos, nem muitos de alta sociedade. Mas Deus escolheu o que é loucura no mundo, para confundir os sábios; e Deus escolheu o que é fraqueza no mundo, para confundir o que é forte. E aquilo que o mundo despreza, acha vil e diz que não tem valor, isso Deus escolheu para destruir o que o mundo pensa que é importante" (I Coríntios 1,26-28).

21

Segunda carta aos Coríntios

A segunda carta aos Coríntios é um conjunto de cinco cartas escritas em tempos e lugares distintos (por volta do ano 55, em Éfeso e na Macedônia).

O relacionamento entre Paulo e essas comunidades tornou-se difícil e tenso. A pessoa de Paulo foi duramente rejeitada por causa de seu modo de ser e de viver: pobre entre os pobres, trabalhando com as próprias mãos, não misturando pregação com dinheiro.

A carta revela toda a paixão de um missionário por Jesus e pelas comunidades. Isso se pode ver sobretudo nos capítulos 10-13, em que Paulo se defende das acusações de fraqueza. O clima da carta é uma incessante busca da reconciliação e a consequente consolação pela paz restabelecida. O ofensor, uma vez arrependido, recebe o perdão de Paulo e da comunidade.

Dois capítulos tratam da solidariedade entre comunidades (8 e 9). Aí se fala do mutirão internacional de ajuda aos cristãos empobrecidos de Jerusalém, duramente castigados por terremoto e estiagem. Apresentam-se os motivos para a colaboração: o próprio Jesus, que se deu inteiramente aos outros. No capítulo 11 encontramos longa série de perigos enfrentados pelos Apóstolos, e no capítulo 12, uma experiência mística com o Senhor Jesus. As comunidades de Corinto estão entre as que mais deram dor de cabeça a Paulo. Apesar disso, as cartas revelam um missionário totalmente apaixonado por Jesus e pelas comunidades.

"Meu coração está aberto para vocês. Em mim, não falta lugar para os acolher, mas em troca vocês têm o coração estreito. Paguem a nós com a mesma moeda. Eu lhes falo como a filhos; abram também o coração de vocês" (2 Coríntios 6,11-13).

Carta aos Gálatas

Paulo estava em Éfeso, por volta do ano 55, e ficou sabendo que as comunidades da Galácia estavam sendo perturbadas pela presença e atuação dos judaizantes. O ensinamento desses judeu-cristãos era este: os pagãos, para alcançar a salvação, deveriam submeter-se à circuncisão. Em outras palavras, para ser cristão seria necessário tornar-se judeu. Essa doutrina colocava a perder toda a ação salvadora de Jesus Cristo e todo o ensinamento de Paulo.

Com dureza, Paulo escreveu aos gálatas, defendendo aquilo que ele chamava de Evangelho, ou seja, a pessoa e a ação de Jesus em favor da humanidade. Ele chegou a desentender-se com Pedro (capítulo 2) e fez um tipo de leitura estranha de alguns textos do Antigo Testamento (capítulos 3-4). A carta aos Romanos desenvolve esse tema.

Gálatas é um texto importante, porque revela o aspecto maternal de Paulo (4,19) e lança um grito de liberdade (5,1):

"Cristo nos libertou para que sejamos verdadeiramente livres". É também a proclamação da igualdade entre os membros de uma comunidade: "Não há mais diferença entre judeu e grego, entre escravo e homem livre, entre homem e mulher, pois todos vocês são um só em Jesus Cristo" (3,28).

A carta descreve dois modos opostos de viver: a vida segundo os instintos egoístas (vida segundo a carne) e a vida segundo o Espírito. Além disso, Gálatas apresenta um caminho importante para os cristãos: viver em Cristo.

"Eu vivo, mas já não sou eu que vivo, pois é Cristo que vivem em mim. E esta vida que agora vivo, eu a vivo pela fé no Filho de Deus, que me amou e se entregou por mim" (Gálatas 2,20).

23

Carta aos Romanos

No ano 56, em Corinto, Paulo esteve preparando a coleta em favor dos cristãos pobres de Jerusalém. Fez planos de viajar para a Espanha (Romanos 15,24.28). Por isso escreveu a mais longa e profunda de suas cartas, encarregando a diaconisa Febe de levá-la aos romanos e, ao mesmo tempo, preparar a viagem (16,1-2).

Romanos é um texto que se aproxima ao de Gálatas quanto ao assunto, mas é mais sereno. O tema central pode ser descrito da seguinte maneira: a humanidade comparece diante do tribunal de Deus, dividida em dois grupos, pagãos e judeus. A sentença para os pagãos se apresenta assim: pela lei natural eles deveriam ter descoberto o Deus verdadeiro, da mesma forma que vendo uma coisa bela, somos levados a descobrir o autor da beleza, o próprio Deus. Mas, ao contrário, não foi isso que aconteceu. Por isso os pagãos foram culpados, réus.

Os judeus, por sua vez, tiveram mais privilégios que os pagãos, pois possuíam a Lei como norma de vida. Apesar disso, os judeus foram culpados por não terem praticado a Lei. Com isso, conclui-se que a humanidade não se salva por suas próprias forças. Mas nem por isso está perdida, pois Deus concede anistia para todos, com a condição de que creiam em Jesus Cristo anunciado por Paulo naquilo que ele chama de Evangelho. Superada a era da Lei, entramos no tempo da graça e da vida no Espírito.

"Não me envergonho do Evangelho, pois ele é força de Deus para a salvação de todo aquele que acredita, do judeu em primeiro lugar, mas também do grego. De fato, no Evangelho a justiça se revela única e exclusivamente através da fé, conforme diz a Escritura: 'o justo vive pela fé'" (Romanos 1,16-17).

24

Carta a Filêmon

O bilhete a Filêmon é o texto em que descobrimos o que Paulo pensava e como agia diante do fenômeno da escravidão, espinha dorsal da economia do Império Romano. Filêmon era um cristão de Colossas e em sua casa se reunia uma igreja doméstica. Um escravo doméstico chamado Onésimo – nome que significa "útil" – fugiu da casa do patrão e foi encontrar Paulo na cadeia, que o batizou.

Para Paulo, a questão da escravidão era muito clara (cf. Gálatas 3,28). Ele inclusive brincava com o sentido do nome Onésimo. A escravidão é algo totalmente inútil, pois o batismo e a fé no Senhor Jesus fazem das pessoas uma nova criatura.

Paulo tinha outras possibilidades para resolver o problema de Onésimo: podia conservá-lo em sua companhia ou deixá-lo livre, para que seguisse o próprio caminho. Escolheu a solução mais delicada, que foi devolver Onésimo ao patrão, para ver como iria tratá-lo a partir dessa nova realidade. Na casa de Filêmon, celebrava-se a Ceia do Senhor, na qual os participantes se saudavam com o beijo fraterno. Disso, enquanto escravo, Onésimo estava excluído. Como serão as relações a partir de agora na casa de Filêmon? Quem irá lavar os pés de quem?

Paulo poderia dar ordens, mas preferiu pedir por amor, estimulando a criatividade de Filêmon, para que descobrisse que em Cristo somos todos irmãos. A carta mais curta de Paulo é um grito de liberdade (cf. Gálatas 5,1).

"Agora você o terá, não mais como escravo, mas muito mais do que escravo: você o terá como irmão querido; ele é querido para mim, e o será muito mais para você, seja como homem, seja como cristão" (Filêmon 16).

25

Carta aos Efésios

Efésios é na origem uma carta circular para as comunidades da região de Éfeso. Mais que uma carta, ela se apresenta como longa pregação sobre a vida de Cristo e da Igreja. Começa com um poema (1,3-14), no qual se louva a Deus por sua ação na história. São seis motivos que conduzem ao louvor. Os temas são os seguintes: Deus nos escolheu em Cristo, adotou-nos como filhos, redimiu-nos, deu-nos a conhecer o mistério, fez-nos herdeiros, deu-nos o Espírito Santo.

A carta desenvolve esses temas, sublinhando sempre a ação de Jesus em nosso favor. Paulo é portador de um mistério, o projeto de Deus, que de dois povos inimigos faz um só povo de irmãos.

A carta traz abundantes instruções para a vida em comunidade, mas se revela culturalmente condicionada, como quando dá instruções acerca da moral doméstica (relação marido-mulher, pais-filhos, patrão-escravos). É uma carta que se preocupa com a unidade dos fiéis, unidade que se consegue respeitando a diversidade de dons e de pessoas.

O centro da carta é a pessoa de Cristo, exaltado acima de toda criatura, Senhor do mundo e da história: "... levar a história a sua plenitude, reunindo o universo inteiro, tantas coisas celestes como as terrestres, sob uma só Cabeça, Cristo" (1,10).

Uma imagem forte é a destruição do muro que separava pagãos e judeus. A morte e ressurreição de Jesus fez esse muro desaparecer para sempre.

"Deus, que é rico em misericórdia, pelo grande amor com que nos amou, deu-nos a vida juntamente com Cristo, quando estávamos mortos por causa de nossas faltas. Vocês foram salvos pela graça" (Efésios 2,4-5).

26

Carta aos Colossenses

A carta aos Colossenses assemelha-se à de Efésios quanto ao tema, e deve ter sido escrita na mesma época. É uma carta cuja autoria é debatida entre os estudiosos do assunto. A comunidade que a recebeu não foi fundada por Paulo, mas por companheiro seu, chamado Epafras (1,7), que saiu à procura de esclarecimentos diante dos problemas que estava enfrentando.

Na região de Colossos, não muito longe de Éfeso, a influência de outras religiões era grande, a ponto de deturpar a mensagem cristã.

Acreditava-se que o mundo vivia em permanente conflito entre bem e mal, entre luz e trevas, entre vida e morte. Entre a divindade da luz, que habita o céu, e a terra, lugar onde o mal se manifesta, existem muitos seres divinizados (tronos, soberanias, principados, autoridades, 1,16) chamados eões, entre os quais se encontraria o Senhor Jesus. O risco de pôr tudo a perder era muito grande.

A carta não discute a existência desses eões, simplesmente os devolve a seu lugar, sublinhando que, em Cristo, Deus fez habitar toda a Plenitude. Chegamos assim ao núcleo da carta, o hino de 1,13-20, um dos mais importantes de todo o Novo Testamento.

O hino se assemelha ao começo do Evangelho de João na apresentação do Senhor Jesus: ele é o retrato vivo do Deus invisível, e por meio dele todas as ciosas foram criadas (João 1,18). A grande obra de Jesus se chama reconciliação universal, realizada por meio de sua morte e ressurreição.

"Cristo é a imagem do Deus invisível, o Primogênito, anterior a qualquer criatura, porque nele foram criadas todas as coisas, tanto as celestes como as terrestres" (Colossenses 1,15-16).

27

Primeira carta a Timóteo

As duas cartas a Timóteo e a carta a Tito são chamadas "pastorais" por terem sido escritas para líderes (pastores). Timóteo estava em Éfeso, e Tito na ilha de Creta. A bem da verdade, todas as cartas de Paulo podem ser chamadas "pastorais", pois nasceram da preocupação pastoral de seu autor e se destinaram ao crescimento das comunidades. Junto com outras, são consideradas deuteropaulinas, ou seja, não é absolutamente certo afirmar que são de Paulo. Pode ser que o autor tenha usado o nome do Apóstolo. Um dos motivos que os estudiosos apresentam é a questão da linguagem. Usam-se palavras e temas que não se encontram nas grandes cartas de Paulo – por exemplo "sã doutrina", "boa consciência", "instrução" e outros termos que fazem lembrar os problemas das comunidades no final do I século, bem depois da morte de Paulo.

A primeira carta a Timóteo trata da defesa da fé e da organização das comunidades. Nela encontramos orientações para as viúvas, os bispos (epíscopos), presbíteros etc. Uma das principais preocupações era com os falsos mestres, que faziam da religião fonte de lucro, explorando a fé das pessoas (6,6). Além disso, traz orientações para as mulheres e os escravos. A carta é um testemunho interessante de como as comunidades se organizaram no fim do I século.

"Timóteo, meu filho, esta é a instrução que lhe confio, conforme as profecias que foram outrora pronunciadas a respeito de você. Esteja firme nelas e combata o bom combate, com fé e boa consciência. Alguns rejeitaram a boa consciência e acabaram naufragando na fé" (I Timóteo 1,18-19).

28

Segunda carta a Timóteo

Esta carta situa-se entre as deuteropaulinas. Se de fato for um texto nascido de Paulo, estaremos diante do último escrito do Apóstolo. De fato, a carta tem um tom de despedida e funciona como uma espécie de testamento espiritual. Isso se deduz do fato que ao longo do texto encontramos afirmações que fazem de Paulo o modelo do mártir cristão. Além disso, a carta apresenta indicações para a organização e bom funcionamento das comunidades ligadas a Timóteo.

Um dos textos mais interessantes acerca da Sagrada Escritura encontra-se aqui: "Elas têm o poder de lhe comunicar a sabedoria que conduz à salvação pela fé em Jesus Cristo. Toda Escritura é inspirada por Deus e é útil para ensinar, para refutar, para corrigir, para educar na justiça, a fim de que o homem de Deus seja perfeito, preparado para toda boa obra" (3,15-16).

A carta deixa transparecer um clima de intimidade, pois recorda a avó e a mãe de Timóteo como formadoras na fé (1,5).

Se admitimos que a carta é de Paulo, sua redação deve situar-se por volta do ano 67. Paulo estava novamente na cadeia e não via saída para seu caso, a não ser enfrentando o martírio. Abandonado por todos, como o Senhor Jesus na noite de sua paixão, Paulo se entregou confiante nas mãos do Senhor. Detalhe interessante: como o Senhor Jesus na cruz, Paulo pediu perdão para os responsáveis por seu martírio.

"Combati o bom combate, terminei minha corrida, conservei a fé. Agora só me resta a coroa da justiça que o Senhor, justo Juiz, entregar-me-á naquele Dia; e não somente para mim, mas para todos os que tiverem esperado com amor sua manifestação" (2 Timóteo 4,7-8).

29

Carta a Tito

Tito foi muito importante na vida de Paulo. Nós o encontramos na polêmica contra circuncisão (Gálatas 2,1ss). Foi ele o enviado de Paulo a Corinto, a fim de pacificar as comunidades, tarefa na qual foi bem-sucedido. Seu caráter pacificador foi muito importante também na coleta em favor dos pobres de Jerusalém.

A carta situa Tito na ilha de Creta que, no dizer do texto, era habitada por pessoas problemáticas (1,12). Tarefa de Tito era organizar o que ainda restava para fazer e nomear em cada cidade os presbíteros das igrejas (1,5).

Como na primeira carta a Timóteo, também a carta a Tito tem como grande preocupação a sã doutrina, porque com o tempo a religião ia sendo deturpada por teorias estranhas e interesses ocultos. A carta traz conselhos para o comportamento das mulheres idosas, os jovens e os escravos.

A carta, portanto, trata do cotidiano da fé. É um texto importante por fazer-nos perceber que a fé se traduz em coisas concretas. Além disso, supõe-se, a partir do texto, que Paulo, depois de libertado em Roma, planejava retornar à Ásia (3,12ss).

Desde o começo, salienta-se a missão de Paulo, que se apresenta como "apóstolo de Jesus Cristo": "para levar os escolhidos de Deus à fé e ao conhecimento daquela verdade que conduz à piedade e se fundamenta sobre a esperança da vida eterna" (1,1-2).

Uma das afirmações importantes da carta é esta: "tudo é puro para os puros; mas nada é puro para os impuros" (1,15).

"A graça de Deus se manifestou para a salvação de todos os homens. Essa graça nos ensina a abandonar a impiedade e as paixões mundanas, para vivermos neste mundo com autodomínio, justiça e piedade" (Tito 2,11-12).

30

O que é ser apóstolo?

A palavra "apóstolo" significa "enviado". Quem pode ser chamado de apóstolo? Ser apóstolo é um privilégio ou um serviço? Essas e outras perguntas revelam um aspecto das primeiras comunidades cristãs. Havia os que afirmavam que o título de apóstolo estava reservado apenas àqueles que estiveram com Jesus de Nazaré. Estes desfrutavam de privilégios, como o de ser sustentados pelas comunidades. Além disso, garantiam que somente essas pessoas podiam fundar comunidades. Ora, Paulo não conheceu Jesus pessoalmente, de modo que para eles não é apóstolo.

Paulo não abriu mão do título de apóstolo. Todavia, tinha uma visão e uma prática próprias. Para ele, a palavra mais adequada, que explicaria o que é ser apóstolo, é "servo". Tem-se a impressão de que Paulo se sentia mais à vontade como servo do que cheio de privilégios decorrentes do título. Assim sendo, substituiu a autoridade pelo serviço.

Paulo servidor se apresentou, portanto, como aquele que abriu mão dos privilégios para ser como mãe e pai das comunidades. "Não estávamos à procura de elogios dos homens, seja de vocês, seja de outros, embora, como apóstolos de Cristo, pudéssemos recorrer a nossa autoridade. Ao contrário, tratamos vocês com bondade, qual mãe aquecendo os filhos que amamenta... vocês sabem muito bem que tratamos a cada um de vocês como um pai trata seus filhos" (1 Tessalonicenses 2,6-7.11).

"Não são os filhos que devem acumular bens para os pais, mas sim os pais para os filhos. Quanto a mim, de boa vontade me gastarei e me desgastarei totalmente em favor de vocês. Será que, dedicando-lhes mais amor, serei por causa disso menos amado?" (2 Coríntios 12,14-15).

31

Paulo e as mulheres

Uma das injustiças contra Paulo foi a acusação de ele ser contra as mulheres. Lendo suas cartas encontram-se textos que de fato fazem pensar nessa direção. São textos culturalmente condicionados. Mas existem outros caminhos para enfrentar esse tema. Paulo sempre viu nas mulheres grandes colaboradoras no processo de evangelização. A única diaconisa do Novo Testamento – chamada Febe – foi alguém profundamente em sintonia com o Apóstolo. Ela foi certamente a portadora da carta aos Romanos. Paulo a enviou a Roma para que preparasse sua viagem à Espanha.

No capítulo 16 da carta aos Romanos encontram-se citadas 11 mulheres, das quais Paulo reconheceu a dedicação na obra de evangelização, tendo para com elas palavras de carinho e afeto.

No capítulo 11 da primeira carta aos Coríntios, encontramos o famoso texto do véu das mulheres. Poucas pessoas são capazes de perceber que o véu representava um sinal protetor para elas. Além disso, o texto permite que as mulheres profetizem como os homens, desde que cubram a cabeça. O véu era um sinal de emancipação e não de opressão. Para Paulo, foi muito importante o texto de Gálatas 3,28, que proclamou a radical igualdade entre homens e mulheres. A realidade, porém, era diferente. Na sociedade daquele tempo, as mulheres não tinham as mesmas oportunidades que os homens. Por isso, em Corinto, criou-se um espaço alternativo para que as mulheres recuperassem o tempo perdido. É nessa direção que devemos entender o silêncio imposto em 1 Coríntios 14,34-35.

"Sofro novamente como dores de parto, até que Cristo esteja formado em vocês" (Gálatas 4,19).

32

Paulo e os pobres

A família de Paulo deve ter pertencido a uma espécie de classe média. Ele, porém, não temeu baixar de condição social por causa da missão que lhe foi confiada. E afirmou ser um trabalhador que se autossustentou e até conseguiu ajudar seus companheiros de missão.

Quando se dispôs a sair pelo mundo, Paulo tomou uma decisão radical: Não misturar pregação e dinheiro. Uma das razões é esta: as comunidades que ele fundou eram constituídas de pessoas pobres. É o que podemos constatar em 1 Coríntios 1,26: "Entre vocês não há muitos intelectuais, nem muitos poderosos, nem muitos de alta sociedade".

No encontro que teve em Jerusalém com Pedro, Tiago e João, Paulo prometeu cuidar dos pobres (Gálatas 2,10). Para levar em frente essa demonstração de solidariedade, ele movimentou a Galácia e parte da Europa. Aos coríntios ele escreveu: "Quanto à coleta em favor dos irmãos, façam como eu ordenei às igrejas da Galácia. Todo primeiro dia da semana, cada um coloque de lado aquilo que conseguiu economizar..." (1Coríntios 16,1-2).

Na segunda carta aos Coríntios há dois capítulos que tratam desse tema (8 e 9). Aí Paulo apresentou os motivos pelos quais um cristão deve ser solidário com os necessitados. O capítulo 9 era na origem uma carta circular enviada às comunidades da Acaia, cuja capital era Corinto.

"Saibam de uma coisa: quem semeia com mesquinhez, com mesquinhez há de colher; quem semeia com generosidade, com generosidade há de colher. Cada um dê conforme decidir em seu coração, sem pena ou constrangimento, porque Deus ama quem dá com alegria" (2 Coríntios 9,6-7).

33

Paulo e a escravidão

Uma das acusações injustas contra Paulo foi que ele nada fez para aliviar o sofrimento dos escravos. Eles constituíam a espinha dorsal da economia do Império Romano. Dois terços da população era de escravos, mão de obra gratuita.

Afirmar que Paulo não fez nada contra a escravidão teve consequências graves, como o descaso dos cristãos para com a exploração do homem. Não raro cristãos tinham escravos e os tratavam como animais. O que Paulo tem a dizer?

Evidentemente ele não podia lutar contra a estrutura social do Império Romano. Isso não quer dizer que não tenha feito nada. Um dos pontos de partida para aprofundar essa questão é a afirmação de Gálatas 3,28, onde se proclama a radical igualdade entre as pessoas: não há mais diferença entre escravo e homem livre... Esse princípio deve orientar toda leitura dos textos paulinos, sobretudo os que encontramos em algumas cartas deuteropaulinas.

Não podendo fazer nada contra a macroestrutura escravizadora do Império, Paulo voltou-se para as comunidades provocando-as a ter uma visão e uma prática novas. Em outras palavras, na comunidade não podia haver escravos. É o que descobrimos quando lemos a carta a Filêmon. É provável que cristãos ricos pagassem a alforria dos cristãos pobres e escravos.

Paulo minou a escravidão a partir da nova prática de suas comunidades. Elas se tornaram um espaço alternativo, sal da terra e luz do mundo. Em outras palavras, as comunidades de Paulo tinham como princípio a radical igualdade entre os seres humanos.

"Você foi chamado sendo escravo? Não se importe; mas, se você puder se emancipar, aproveite" (1 Coríntios 7,21).

34

Homem de Deus, homem do povo

Não é possível, em Paulo, separar estas duas realidades: sua profunda ligação com Deus e seu compromisso com o povo. Sem uma dessas características forma-se uma imagem distorcida.

A ligação com Deus (e com Jesus Cristo) transparece em muitos textos, como os seguintes: "Fui morto na cruz com Cristo. Eu vivo, mas já não sou eu que vivo, pois é Cristo que vive em mim" (Gálatas 2,19-20). "Para mim o viver é Cristo e o morrer é lucro... Fico na indecisão: meu desejo é partir desta vida e estar com Cristo, e isso é muito melhor. No entanto, por causa de vocês, é mais necessário que eu continue a viver" (Filipenses 1,21.23-24).

Na carta aos Romanos Paulo expressou suas certezas: "Quem nos poderá separar do amor de Cristo? A tribulação, a angústia, a perseguição, a fome, a nudez, o perigo, a espada?

...Nada nos poderá separar do amor de Deus, manifestado em Jesus Cristo, nosso Senhor" (Romanos 8,35.39).

A relação de Paulo com o povo passou através das comunidades e foi igualmente forte e profunda: "Com os fracos, tornei-me fraco, a fim de ganhar os fracos. Tornei-me tudo para todos, a fim de salvar alguns a qualquer custo. Tudo isso eu o faço por causa do Evangelho, para me tornar participante dele" (I Coríntios 9,22-23).

"Não fiquem devendo nada a ninguém a não ser o amor mútuo. Pois, quem ama o próximo cumpriu plenamente a Lei. De fato, os mandamentos: não cometa adultério, não mate, não roube, não cobice e todos os outros se resumem nesta sentença: 'Ame seu próximo como a si mesmo'. O amor não pratica o mal contra o próximo, pois o amor é o pleno cumprimento da Lei'" (Romanos 13,8-10).

35

Paulo e os povos indígenas

Introdução

Alguns de nós pertencem à geração dos filmes de bangue-bangue em que se matavam índios a rodo. E, sejamos sinceros, certamente torcíamos pelos conquistadores do Oeste norte-americano, engolindo a ideologia que nos era passada por intermédio desses filmes de camuflado mau gosto. Sobretudo engolíamos o genocídio como consequência natural do desbravamento e do progresso.

No Brasil não foi diferente, apesar da ausência de filmes *western*. Os legítimos donos destas terras, que hoje pisamos como sendo nossas, foram lenta e cruelmente dizimados. Orgulhamo-nos de ter uma língua única, ignorando, por exemplo, os quase 200 idiomas das populações indígenas. Criamos em nossa cultura expressões que denotam o contínuo preconceito contra as nações indígenas (para afirmar que algo é chato, maçante, dizemos "programa de índio"). Ainda hoje, no Sul, para dizer que alguém é rude e inculto basta chamá-lo de "bugre" ou "pelo duro" (referência ao tipo de cabelo dos índios). Em poucas palavras, não nos damos conta de que criamos uma "cultura" marcada pelo preconceito, marginalização e morte para esses que hoje são uma minoria. E assim vamos construindo uma história de exclusão e de genocídio.

Paulo, evidentemente, não fala de índios. Seria muito fácil se o tivesse feito. Como, então, levar adiante a reflexão?

Nessa reflexão, tenta-se começar a superação desse impasse. É mais ou menos como entrar em mata fechada, abrindo picadas aqui e acolá. A reflexão está, portanto, apenas esboçando a possibilidade de existir. E deseja avançar com a contribuição de cada pessoa que pretende interrogar-se: "O que faria Paulo se estivesse em meu lugar, no Brasil? Quais seriam os princípios básicos que orientariam sua vida?"

Vamos buscar em seus textos algo que sirva de luz para as situações em que vivemos. Não como resposta pronta, mas como início de conversa e de caminhada.

a. O amor de Cristo fez de nós uma só coisa

"O amor de Cristo é que nos impulsiona, quando consideramos que um só morreu por todos e, consequentemente, todos morreram. Ora, Cristo morreu por todos e, assim, aqueles que vivem, já não vivem para si, mas para aquele que por eles morreu e ressuscitou" (2 Coríntios 5,14-15).

A maioria dos coríntios era de origem pagã, portanto, não judeus. Do ponto de vista da rigorosa exclusividade judaica, com sua ação o Messias beneficiaria apenas os que pertencessem à raça e ao povo dele. Nesse texto, nota-se como Paulo superou a ideologia de um Messias orientado a libertar um povo e uma raça apenas."Um só morreu por todos": trata-se, evidentemente, de Jesus Cristo. Com sua morte pagou por todos. A ideia de fundo parece ser tirada da sociedade escravista daquele tempo, em que se compravam ou resgatavam escravos. O escravo resgatado tornava-se livre. O escravo comprado tornava-se propriedade de quem o adquiriu. É comum nas cartas de Paulo a ideia de que a morte e ressurreição de Cristo compraram para ele todas as pessoas de todas as raças, povos e condição social.

Paulo compreendeu essas coisas a partir de sua experiência de Cristo morto e ressuscitado. E se sentiu movido por esse amor: "*O amor de Cristo nos impulsiona*". Trata-se de amor primeiro, ou seja, a iniciativa de amar e dar a vida é exclusiva de Deus e de Jesus Cristo. Nesse sentido, é oportuno recordar Gálatas 2,20b ("...o Filho de Deus me amou e se entregou por mim"), bem como Romanos 5,8 ("Deus demonstrou seu amor para conosco porque Cristo morreu por nós quando ainda éramos pecadores").

Notemos um detalhe: o amor do Pai traduzido na ação do Filho atinge indistintamente todas as pessoas antes que elas tenham consciência de que existe um Deus que ama e dá a vida por meio do Filho. Podemos tirar uma primeira e grande conclusão: todas as criaturas são igualmente amadas por Deus em Jesus Cristo. Ele deu indistintamente a vida por *todos*, e ninguém pode minimizar ou anular esse *todos* universal e cósmico. Cada pessoa que vem a este mundo já faz parte desse *todos*, ainda que jamais venha a ter consciência disso ou venha a responder com a fé e o batismo. Todo ser humano que se apresenta no horizonte da história deveria ser para mim "sacramento do amor" do Pai que ama e dá a vida em seu Filho Jesus Cristo.

Nesse sentido, é bem verdade aquilo que Francisco de Vitória (teólogo do século 17) comenta em seu livro *De indis* a respeito da recusa dos índios em aceitar o Deus dos conquistadores, imposto pela espada: "Os índios que recusaram o Cristo imposto pelas armas dos conquistadores, recusando aquele Cristo, aceitaram Cristo!"

b. Em Cristo as diferenças foram supressas

"*Não há mais diferença entre judeu e grego, entre escravo e homem livre, entre homem e mulher, pois todos vocês são um só em Jesus Cristo*" (Gálatas 3,28).

Os gálatas não eram judeus. Acolhendo um judeu – Paulo –, que lhes falava de Jesus Cristo, acabaram fazendo parte do povo de Deus, participantes de seu Reino que não exclui nem discrimina.

A frase de Gl 3,28 é um dos princípios básicos que orientam a vida de Paulo evangelizador. Diante dele apresenta-se a grande novidade realizada por Jesus Cristo: a nova criatura, que supera os condicionamentos da raça, da condição social e do gênero. Essa convicção fundamental de Paulo se encontra, com algumas diferenças, em outras duas importantíssimas cartas: Romanos 10,12 ("Não há distinção entre judeu e grego, pois ele é Senhor de todos, rico para com todos aqueles que o invocam") e I Coríntios 12,13 ("Todos fomos batizados num só Espírito para sermos um só corpo, quer sejamos judeus ou gregos, quer escravos ou livres. E todos bebemos de um só Espírito"). Também a carta aos Colossenses (que talvez não seja de Paulo) expressa o mesmo objetivo: "Já não há grego nem judeu, circunciso ou incircunciso, estrangeiro ou bárbaro, escravo ou livre, mas apenas Cristo, que é tudo em todos" (3,11). Com isso, demonstra-se que Paulo, em suas cartas maiúsculas (Romanos, I Coríntios, Gálatas), para grandes metrópoles da Europa (Roma, Corinto) e para a Ásia (Galácia), proclama o fim das desigualdades que criam classes e excluem.

Gálatas 3,28 é, segundo muitos e recentes estudos, uma proclamação batismal criada por Paulo e suas comunidades. Em outras palavras, parece que o adulto, ao ser batizado, recebia um mandato mais ou menos nestes termos: "Você está entrando em um mundo de relações novas, espaço em que a nova criatura se move, cresce e se relaciona. Nesse espaço novo não há mais lugar para segregações por causa da raça (judeu ou grego), de condição social (escravo ou livre) ou de gênero (homem ou mulher). É o lugar da novidade absoluta, gerada pela entrada de Jesus Cristo na vida das pessoas".

O limite desses textos é o fato de serem batismais. Em outras palavras, dão a impressão de que as diferenças desaparecem apenas depois que nos igualamos a uma realidade comum chamada batismo. Mas o item anterior permite abrir o leque e desejar algo mais. Dito de outra forma e olhando para nossa realidade, poderíamos perguntar: Será necessário esperar que os índios sejam batizados para que os consideremos nossos irmãos? Mais ainda: Será que Deus os adota como filhos somente depois de serem batizados? Devemos esperar isso para acabar com as desigualdades?

c. Respeitar o Espírito que está em cada pessoa

"Quem conhece a fundo a vida íntima do homem é o espírito do homem que está dentro dele... Fechado em si mesmo, o homem não aceita o que vem do Espírito de Deus. É uma loucura para ele e não pode compreender, porque são coisas que devem ser avaliadas espiritualmente" (1 Coríntios 2,11.14).

Em Tarso, algumas décadas antes de Paulo, nasceu e cresceu um famoso educador chamado Atenodoro. Foi professor e amigo de Otávio, primeiro imperador romano (que se autodenominou Augusto, imperador de 27 a.C. a 14 d.C.). Atenodoro afirmava que "para cada criatura, sua consciência é Deus".

Na Bíblia do Peregrino, Pe. Alonso Schökel mostra que a expressão "espírito do homem" é a mesma coisa que "consciência". Poderíamos, então, ler assim a frase de 1 Coríntios 2,11: "Quem conhece a fundo a vida íntima do homem é *a consciência* que está dentro dele". Esse tema repercutiu forte na vida de Paulo, a ponto de afirmar: "Guarde para você, diante de Deus, a consciência que você tem" (Romanos 14,22a). A consciência é, portanto, o espaço sagrado em que Deus se revela a cada pessoa e também o tribunal ao qual cada pessoa deverá prestar contas, sem poder se subtrair a ele. A Psicologia chamaria isso de *inconsciente* que se revela e traduz em sonhos, *insights*, ritos etc.

O Espírito, portanto, age a seu modo, quando quer e como quer em cada pessoa (João 3,8). Naquilo que toca a questão indígena, seria oportuno que nos perguntássemos quais são os "gemidos inefáveis" (Romanos 8,26) do Espírito presentes nos indígenas. Certamente o carinho para com as coisas criadas, a harmonia com a natureza etc.

d. Respeito às culturas

Por ser judeu da Diáspora, Paulo estaria mais propenso a se abrir às demais culturas, pois de algum modo era obrigado a esbarrar com o diferente em cada esquina. Mas não podemos esquecer que ele era fariseu (Filipenses 3,5), e isso tinha suas implicações. Nesse sentido, talvez seja oportuno recordar um episódio acontecido em outubro de 1984, em um sábado, em Jerusalém. Nosso grupo dirigia-se naquela manhã ao Muro das Lamentações para uma visita. Em uma daquelas ruas estreitas de Jerusalém, de repente, dobrando uma esquina, um judeu ortodoxo deparou com nosso grupo indo ao encontro dele. Retrocedeu imediatamente, às pressas, como se estivesse fugindo do diabo ou algo parecido. Evidentemente, éramos para ele fator de contaminação em pleno dia de *shabbat*.

Esse fato ilustra vagamente o que pode ter acontecido com Paulo fariseu e, depois, cristão. Em outras palavras, o choque de culturas acontecido em sua trajetória. Como fariseu, mostrava-se avesso a tudo o que fosse estranho à cultura judaica. Os fariseus eram defensores ferrenhos da lei do puro e do impuro. O mundo dos não judeus era lugar de permanente risco de contaminação ritual. Em síntese, o refrão de Colossenses 2,21 ilustra as precauções farisaicas diante dessa questão: "Não pegue, não prove, não toque".

A passagem de fariseu fanático a cristão comportou também a assimilação e o respeito pela cultura dos outros. Em breve, essa mudança significou ver o mundo e as pessoas não como potenciais focos de contaminação, mas como campo de semeadura da novidade de Jesus Cristo; cada pessoa é templo do Espírito, um irmão e uma irmã que devem ser respeitados em suas especificidades e culturas. Se assim não fosse, como teria Paulo ajudado a gestar, na comunidade de Antioquia da Síria, a identidade dos seguidores de Jesus e a abertura dos cristãos para o mundo? (ver Atos 11,19-26; 13,1-3). Alguns textos podem ser úteis para aprofundar esse tema, por exemplo, Romanos 14 e Tito 1,15. É interessante notar também como Paulo lutou para que os cristãos não judeus não fossem submetidos à circuncisão, pois se o fizessem deveriam abandonar a própria cultura para aceitar a dos judeus, tendo a circuncisão como porta de entrada. (No judaísmo havia os prosélitos, que eram pagãos convertidos ao judaísmo, circuncidados que abandonavam as próprias raízes culturais ou étnicas.) Mas, de modo geral, é oportuno considerar toda a atividade de Paulo que se confronta com o diferente sem rejeitá-lo ou condená-lo.

Não podemos continuar crendo que cultura se faz com livros e, portanto, os povos indígenas não têm cultura. Pelo contrário, os povos indígenas não somente têm cultura, como estão muito mais perto do projeto de Deus do que possamos imaginar.

Refiro-me ao sonho da terra sem males, da interação entre ser humano e natureza, temas que nos aproximam da utopia da Nova Jerusalém de Apocalipse 21-22. Olhando para as cartas de Paulo, é possível detectar sinais disso em Romanos 8,22: "Sabemos que a criação toda geme e sofre dores de parto até agora". Seria interessante perguntar-nos como seria nosso país hoje se tivéssemos obedecido à cultura da terra sem males.

e. A liberdade acima de tudo

"Cristo nos libertou para que sejamos verdadeiramente livres. Portanto, fiquem firmes e não se submetam de novo ao jugo da escravidão" (Gálatas 5,1). *"Mas vocês se lavaram, foram santificados e reabilitados pelo nome do Senhor Jesus Cristo e pelo Espírito de nosso Deus... Alguém pagou alto preço pelo resgate de vocês: não se tornem escravos dos homens "* (1 Coríntios 6,11.20a; 7,23).

O tema da liberdade em Paulo é vasto. Aqui basta perceber alguns elementos. Em primeiro lugar, a libertação de Gálatas 5,1 não é apenas ou em primeiro lugar espiritual. É também libertação cultural (para ser cristãos não é necessário assumir a cultura judaica, coisa que aconteceria se os gálatas se circuncidassem) e igualmente libertação física (os gálatas estavam entre os mais cobiçados escravos do império romano). A morte e ressurreição de Jesus são um divisor de águas: depois delas, nenhum ser humano tem o direito de escravizar outro ser humano, e nenhuma pessoa deve aceitar ser escravizada por outra.

O primado da liberdade suscita também o primado da igualdade na heterogeneidade das culturas e de suas manifestações. A palavra "reabilitados" (1 Coríntios 6,11) significa, entre outras coisas, "libertados". Na mesma direção vai a expressão "pagou pelo resgate" (1 Coríntios 6,20; 7,23). Dentro da mentalidade daquele tempo, refere-se à compra de escravos nos mercados das grandes cidades. A morte e a ressurreição de Jesus constituíram "o alto preço" dessa compra, não para que as pessoas simplesmente mudem de dono, mas para serem donas de si mesmas, na liberdade que Deus concedeu.

Nesse sentido, vale a pena reler a carta a Filêmon. Onésimo, escravo fujão, traz em seu nome um "programa" de vida. Significa "útil". Paulo é muito irônico nessa breve carta. Afirma a total inutilidade da escravidão e a grande vantagem de ver no outro simplesmente um "irmão". Não impõe uma solução ao antigo patrão desse ex-escravo que retorna como irmão. Limita-se a pedir, mas quer que Onésimo seja acolhido com "entranhas de misericórdia", como se fosse a própria pessoa de Paulo. Filêmon já estava treinado em acolher "com entranhas de misericórdia" em sua casa as pessoas que aí se reuniam para celebrar a fé comum. Será capaz agora de acolher também aquele que até o momento tinha sido visto simplesmente como escravo útil?

Todavia, também aqui é oportuno um questionamento. Paulo tomou essa medida somente depois que batizou o escravo Onésimo. Olhando para nossa realidade, é oportuno perguntar, de novo, se os indígenas precisam antes ser batizados para que os consideremos pessoas livres e irmãos nossos.

f. Um só corpo

"Cristo é nossa paz. De dois povos, ele fez um só. Em sua carne derrubou o muro da separação: o ódio. Aboliu a Lei dos mandamentos e preceitos. Ele quis, a partir do judeu e do pagão, criar em si mesmo um homem novo, estabelecendo a paz. Quis reconciliá-los com Deus em um só corpo, por meio da cruz; foi nela que Cristo matou o ódio. Ele veio anunciar a paz a vocês que estavam longe, e a paz para aqueles que estavam perto. Por meio de Cristo, podemos, uns e outros, apresentar-nos diante do Pai, em um só Espírito" (Efésios 2,14-18).

Estamos diante de um dos hinos de Efésios. Esse hino é a alma da humanidade celebrando seu reencontro em Cristo e por Cristo, na cruz. Tudo fala de reconciliação: o muro cai, o ódio é morto, a Lei dos mandamentos é abolida, as distâncias são superadas, as divisões já não existem. Tudo isso aconteceu em uma pessoa (Cristo) e em um ato por ela realizado (morte na cruz), refazendo todas as relações entre humanidade e Deus e também as relações entre grupos humanos. O resultado disso se chama paz (*shalom*, plenitude de vida; veja Efésios 1,2), palavra repetida três vezes.

As relações da humanidade com Deus são refeitas e sintetizadas basicamente em duas: a reconciliação e a filiação. A morte de Cristo reconcilia a humanidade com Deus e, a partir disso, todos têm um único Pai (compare com 1,5). É a partir disso que todos podemos dizer "Pai nosso". Também as relações entre os grupos humanos são novas: não há mais diferença de raça (compare com Gálatas 3,28) e desaparece com isso o ódio racial; não há mais o privilégio de um povo da aliança, pois toda a humanidade é aliada de Deus em Cristo; não há mais distância entre grupos humanos, pois no Espírito todos caminham ao encontro do mesmo Pai.

Outro detalhe chama atenção. Ao falar do muro de separação (Efésios 2,14), o hino talvez queira se referir à nítida separação que se fazia, no Templo de Jerusalém, entre judeus e pagãos. Havia um aviso advertindo que se um pagão ousasse entrar no espaço reservado aos judeus, certamente seria morto. Agora, no entanto, por causa de Cristo, todos têm acesso ao mesmo Deus e Pai, e o guia de todos se chama Espírito Santo (compare com 1,13-14).

Ser um só corpo

"Por isso, eu, prisioneiro no Senhor, peço que vocês se comportem de modo digno da vocação que receberam. Sejam humildes, amáveis, pacientes e suportem-se uns aos outros no amor. Mantenham entre vocês laços de paz, para conservar a unidade do Espírito. Há um só corpo e um só Espírito, assim como a vocação de vocês os chamou a uma só esperança: há um só Senhor, uma só fé, um só batismo. Há um só Deus e Pai de todos, que está acima de todos, que age por meio de todos e está presente em todos.

Cada um de nós, entretanto, recebeu a graça na medida em que Cristo a concedeu. Por isso, diz a Escritura: 'Subiu às alturas levando prisioneiros; distribuiu dons aos homens'. Que quer dizer 'subiu'? Quer dizer que primeiro desceu aos lugares mais baixos da terra. Aquele que desceu é o mesmo que subiu acima de todos os céus, para plenificar o universo. Foi Ele quem estabeleceu alguns como apóstolos, outros como profetas, outros como evangelistas e outros como pastores e mestres. Assim, Ele preparou os cristãos para o trabalho do ministério que constrói o Corpo de Cristo. A meta é que todos juntos nos encontremos unidos na mesma fé e no conhecimento do Filho de Deus, para chegarmos a ser o homem perfeito que, na maturidade de seu desenvolvimento, é a plenitude de Cristo. Então, já não seremos crianças, jogados pelas ondas e levados para cá e para lá por qualquer vento de doutrina, presos pela artimanha dos homens e pela astúcia com que eles nos induzem ao erro. Ao contrário, vivendo amor autêntico, cresceremos sob todos os aspectos em direção a Cristo, que é a Cabeça. Ele organiza e dá coesão ao corpo inteiro, por meio de uma rede de articulações, que são os membros, cada um com sua atividade própria, para que o corpo cresça e construa a si próprio no amor" (Efésios 4,1-16).

A primeira frase (4,1) serve de título a tudo o que se segue. O tema central é a unidade do corpo, unidade com Cristo Cabeça e unidade das pessoas entre si (membros). Aparecem *sete* elementos que estimulam à unidade (um só corpo, um só Espírito, uma só esperança, um só Senhor, uma só fé, um só batismo, um só Deus). Nota-se logo que, entre esses sete elementos, está a Trindade (Espírito, Senhor, Deus). Nos primeiros seis versículos reaparecem as três virtudes principais (amor, esperança, fé) já anotadas em Efésios 1,15.18. O pedido é realista: suportar-se mutuamente no amor, com três qualidades do amor: humildade, amabilidade e paciência. O pedido é feito por quem está na prisão.

A unidade das pessoas com a Trindade e a unidade entre os membros do mesmo corpo acontece na diversidade de dons (graça) que Cristo concedeu a cada um. O autor faz uma leitura própria do Salmo 68,19, aplicando-o a Cristo ressuscitado, vencedor e distribuidor de dons (Efésios 4,8-10). Em seguida, oferece uma amostragem de dons presentes nas comunidades, salientando cinco ministérios: apóstolos, profetas, evangelistas, pastores e mestres (4,11). O elenco de 1 Coríntios 12 é mais amplo e mostra que ninguém possui o Espírito de modo pleno e ninguém está privado dele. O objetivo disso tudo é claro: "A meta é que todos juntos nos encontremos unidos na mesma fé e no conhecimento do Filho de Deus, para chegarmos a ser o homem perfeito que, na maturidade de seu desenvolvimento, é a plenitude de Cristo" (Efésios 4,13). Em outras palavras, busca-se a maturidade cristã, que sabe respeitar a diversidade e só é completa quando reconhece e aceita as qualidades, serviços e funções dos outros membros do corpo. A imaturidade é descrita com a imagem da pessoa que se deixa levar pelas ondas do mar ou com a de algo que se volta para a direção em que o vento sopra. O corpo, do qual Cristo é Cabeça, não é, portanto, algo feito e acabado, mas um projeto que se constrói com a ajuda de todos, segundo a capacidade de cada pessoa (Efésios 4,15-16).

"Portanto, em nome do Senhor, digo e recomendo a vocês: não vivam como os pagãos, cuja mente é vazia. A inteligência deles se tornou cega, e eles vivem muito longe da vida de Deus, porque o endurecimento do coração deles é que os mantém na ignorância. Eles perderam a sensibilidade e se deixaram levar pela libertinagem, entregando-se com avidez a todo tipo de imoralidade.

Não foi assim que vocês aprenderam a conhecer Cristo, se é que de fato vocês lhe deram ouvidos e se foram mesmo instruídos segundo a verdade que há em Jesus. Vocês devem deixar de viver como viviam antes, como homem velho que se corrompe com paixões enganadoras. É preciso que vocês se renovem pela transformação espiritual da inteligência e se revistam do homem novo, criado segundo Deus na justiça e na santidade que vem da verdade.

Por isso, abandonem a mentira: cada um diga a verdade a seu próximo, pois somos membros uns dos outros. Vocês estão com raiva? Não pequem; o sol não se ponha sobre o ressentimento de vocês. Não deem ocasião ao diabo. Quem roubava, não roube mais; ao contrário, ocupe-se trabalhando com as próprias mãos em algo útil e tenha assim o que repartir com os pobres. Que nenhuma palavra inconveniente saia da boca de vocês; ao contrário, se for necessário, digam boa palavra, que seja capaz de edificar e fazer o bem aos que ouvem.

Não entristeçam o Espírito Santo, com que Deus marcou vocês para o dia da libertação. Afastem de vocês qualquer aspereza, desdém, raiva, gritaria, insulto e todo tipo de maldade. Sejam bons e compreensivos uns com os outros, perdoando-se mutuamente, assim como Deus perdoou a vocês em Cristo" (Efésios 4,17-32).

As comunidades cristãs são um espaço alternativo em que se sonha, em que se gera e se vive o novo em todas as formas de relação. Em outras palavras, é ser gente nova. As recomendações desse trecho vão nessa direção, mostrando que a nova realidade (participar da comunidade cristã) não deverá ter nada em comum com o passado de injustiça e de relações desiguais. Há, portanto, um antes e um depois do encontro com Cristo, e o antes não tem nada a ver com o depois. Ou, se quisermos, o depois não pode repetir as relações do antes, senão perderia completamente sua razão de ser. Usando as palavras de Mateus 5,13-16, as comunidades deixariam de ser sal da terra e luz do mundo, ou seja, perderiam sua capacidade de fermentar a sociedade a partir de nova visão do mundo e de novas relações em todos os níveis.

Esse tema é muito importante nas principais cartas de Paulo (por exemplo, 1 Coríntios 5-6 e Romanos 12,2). Sem ele as comunidades não teriam razão de ser e, o que é pior, acabariam copiando e reproduzindo em seu seio o sistema injusto de relações que as pessoas viviam antes de entrar na comunidade. Seria o maior absurdo as comunidades cristãs clonarem a sociedade injusta de onde vieram. Em outras palavras, a carta fala de "homem velho" (o antes de ter conhecido Jesus Cristo) e de "homem novo" (o depois). O encontro com Jesus Cristo é apresentado como nova criação na justiça e na santidade que vem da verdade (Efésios 4,24). Associada à ideia de "homem velho" e "homem novo" está a imagem de "desvestir-se" e "revestir-se", salientando ainda mais a ruptura entre o passado de relações injustas e o presente, marcado pela unidade na diversidade. (Esse tema está presente em outras cartas de Paulo ou atribuídas a ele: Gálatas 3,27; Romanos 13,11-14; Colossenses 2,11-12.)

Em 4,25-32 apresenta-se uma série de características do "homem velho" e do "antes", do qual o cristão é convidado a se "desvestir". O elenco não pretende ser exaustivo, mas dá uma ideia de como eram as relações nesse "mar de tubarões": mentira, ressentimento, roubo, ofensas verbais, aspereza, desdém, raiva, gritaria, insulto e todo tipo de maldade. (Nas cartas de Paulo há várias listas desse tipo, mais extensas ou menos. Veja também Marcos 7,21-22.) Chama atenção o roubo, apropriação do que pertence aos outros, e a solução positiva encontrada para eliminá-lo: "trabalhando com as próprias mãos em algo útil, e tenha assim o que repartir com os pobres" (Efésios 4,28b). Essa temática é abundante em Paulo (veja, por exemplo, I Tessalonicenses 2,9; 4,11; I Coríntios 4,12a; 9,1-18 etc.). A sociedade daquele tempo era dividida basicamente em duas classes: escravos (mão de obra gratuita) e livres (na maioria das vezes ocupando-se apenas com o ócio). Sabe-se que a economia do império romano era sustentada pela maioria de escravos não remunerados e pelo roubo das riquezas dos povos conquistados pela força das legiões. Paulo não somente recomenda a trabalhar para ocupar o tempo, mas dá ao trabalho uma destinação nova: endereça-o para a partilha universal dos bens. Encerrando esse trecho, a carta pede que o Espírito não seja entristecido e que o perdão tempere todas as relações. O perdão recorda a terceira bênção (Efésios 1,7-8). Quando conseguimos perdoar alguém, estamos fazendo o que Jesus fez por nós. Não entristecer o Espírito é, conforme Efésios 4,3, não romper a unidade do corpo.

Também nesse item é preciso dar um salto de qualidade. Dito de outro modo, devemos perguntar-nos sobre as formas de criar unidade, comunhão, partilha e solidariedade com os povos indígenas.

Conclusão: Posturas de Paulo

Algumas atitudes de Paulo, expressas em frases tiradas de suas cartas, poderão ajudar-nos na continuação da reflexão. Cada frase vale por si e mereceria um comentário. São basicamente uma provocação na linha do que foi dito na introdução, estimulando a continuar a reflexão: "O que faria Paulo se estivesse em meu lugar, no Brasil? Quais seriam os princípios básicos que orientariam sua vida?"

- "Estou em dívida com gregos e bárbaros, com sábios e ignorantes" (Romanos 1,14).

- "Homem, você julga os outros? Seja quem for, você não tem desculpa. Pois, se julga os outros e faz o mesmo que eles fazem, você está condenando a si próprio" (Romanos 2,1).

- "Como são profundas a riqueza, a sabedoria e a ciência de Deus! Como são insondáveis suas decisões e como são impenetráveis seus caminhos! Quem poderá compreender o pensamento do Senhor? Quem foi seu conselheiro? Porque todas as coisas vêm dele, por meio dele e vão para ele. A ele pertence a glória para sempre. Amém" (Romanos 11,33-34.36).

- "Desse modo, por causa do conhecimento que vocês têm, perecerá o fraco, esse irmão pelo qual Cristo morreu. Se vocês pecam assim contra os próprios irmãos e ferem a consciência deles, que é fraca, é contra Cristo que vocês estão pecando" (1 Coríntios 8,11-12).

- Com os fracos tornei-me fraco, a fim de ganhar os fracos. Tornei-me tudo para todos, a fim de salvar alguns a qualquer custo" (1 Coríntios 9,22).

- "Quanto a mim, de boa vontade me gastarei e me desgastarei totalmente em favor de vocês" (2 Coríntios 12,15a).

36

Paulo e os idosos

Introdução

De acordo com recentes pesquisas, a expectativa de vida dos brasileiros está perto dos 70 anos, bem abaixo da média dos países mais desenvolvidos, como o Japão, onde as pessoas vivem em média mais de 80 anos. Nossa expectativa de vida é um alerta para a terceira idade: mal chegados à terceira idade, quando termina a média de idade com qualidade de vida, sentimo-nos como que proibidos de viver um pouco mais; ou, pelo menos, comparando-nos com os outros que partem mais cedo, podemos quase nos considerar pessoas disputando o jogo da vida nos acréscimos permitidos pelo árbitro ou, quem sabe, como quem está fazendo horas extras após ter pulado a cancela comum a qualquer brasileiro.

Essa constatação, longe de nos levar ao desespero, deveria produzir *bom senso* ou *sabedoria* em quem já está na terceira idade ou se aproxima dela, sabedoria que serviria aos mais jovens como iluminação para viver com sentido esse curto caminho que nos é concedido percorrer. Como dizia o poeta Taiguara, falando aos jovens acerca do velho: "Range o velho barco, lamento amargo do que não fez. E o futuro espelha esse mesmo velho que são vocês".

A expectativa de vida para os brasileiros gira em torno dos 70 anos. Mais ou menos como afirma o Salmo 90,10: "Setenta anos é o tempo de nossa vida, oitenta anos, se ela for vigorosa". Bem realista esse salmo. E digamos logo não se trata de "expectativa de vida". Trata-se, isso sim, do "teto", ou seja, o máximo que alguém poderia viver no tempo dessa oração coletiva de súplica com caráter sapiencial. Aliás, é interessante torná-la companheira cotidiana de viagem, a fim de que aprendamos a contar nossos anos, para que tenhamos coração sensato (v. 12).

Estamos, portanto, muito longe das idades astronômicas de Gênesis 5. Em outras palavras, é hora de cair na real. E talvez nesse sentido possamos ser ajudados por Eclesiastes 12,1-7 (tradução da Bíblia do Peregrino): "Lembra-te de teu Criador durante a tua juventude, antes que cheguem os dias infelizes e chegues aos anos em que dirás: 'Não tenho mais prazer'. Antes que se obscureçam a luz do sol, a lua e as estrelas, e o tempo nublado venha depois da chuva. Nesse dia, tremerão os guardiães de casa e os robustos se encurvarão; as que moem serão poucas e pararão; as que olham pelas janelas se ofuscarão; as portas da rua se fecharão e o ruído do moinho se acabará; o canto dos pássaros se enfraquecerá, as canções irão se calando, as alturas darão medo e os terrores rondarão. Quando a amendoeira florescer e o gafanhoto se arrastar e a alcaparra não der gosto, porque o homem caminha para a morada eterna e o cortejo fúnebre percorre as ruas. Antes que se rompa o fio de prata, e se parta a taça de ouro, e se quebre o cântaro na fonte, e se rache a roldana do poço, e o pó volte à terra que ele era, e o espírito torne a Deus que o deu".

Não é fácil descobrir a média de idade nos tempos do Antigo Testamento e também no tempo de Jesus, pois não havia essa preocupação estatística. Certamente devia ser muito baixa por vários fatores: desnutrição, epidemias, altas taxas de mortalidade infantil, guerras, catástrofes naturais, além da sensação de impotência médica (Marcos 5,26). E, consequentemente, a terceira idade deveria começar bem mais cedo que aos 60 anos. De acordo com Deuteronômio 2,14 (que parece ter inspirado João 5,5), 38 anos corresponderia a uma geração: "De Cades Barne até atravessar o rio Zared, caminhamos durante trinta e oito anos, até que desapareceu do acampamento toda a geração de guerreiros, como Javé lhes tinha jurado". 38 anos! Média de idade inferior à dos mais pobres países do mundo no início deste terceiro milênio.

O tema "Paulo e os idosos" é periférico no sentido de que Paulo não demonstrou preocupação especial para com a "terceira idade" de seu tempo. Mas também aqui vale a pena aventurar-nos em um caminho praticamente intransitado, a fim de criarmos novos e interessantes contatos com textos tão antigos. Com esse esforço – apenas esboçado aqui – estamos procurando desengessar Paulo, fazendo-o dialogar com as graves questões de hoje e interagir conosco no mutirão para um mundo melhor, com mais vida para todos.

Estamos entrando em um caminho praticamente intransitado. De fato, se nos dedicarmos à pesquisa em torno do tema "Paulo e os idosos", ficaremos decepcionados com os resultados. Nas cartas, a palavra "velho" (no sentido de "idade avançada") encontra-se apenas uma vez (Filêmon 9). No sentido de "ancião/presbítero/coordenador de uma comunidade", há certa frequência em duas das cartas "Pastorais" (primeira carta a Timóteo e carta a Tito), mas neste caso não supõe necessariamente "idade avançada". A palavra "presbítero" tem sua raiz na ancianidade. Corresponde aos "anciãos" do Antigo Testamento e também do tempo de Jesus. Mas logo deixa de caracterizar uma *fase da vida* para designar uma *função ou cargo*. Como acontece entre nós, quando um jovem de 25 anos é ordenado "presbítero".

O jeito, então, é ir tateando as cartas de Paulo com sensibilidade e certo "faro" de aventura. Assim sendo, vamos seguir estes passos: **a.** Paulo idoso; **b.** Velho por fora, novo por dentro; **c.** Organização da terceira idade; **d.** A sabedoria de um idoso; **e.** Testamento de um homem em fim de vida.

a. Paulo idoso

"Deixa o velho em paz com as suas histórias de um tempo bom. Quanto bem lhe faz, murmurar memórias em um mesmo tom." (Taiguara)

A única vez que Paulo se autodenomina "velho" (*presbytes*) é Filêmon 9: "Quem faz este pedido sou eu, o velho Paulo, agora também prisioneiro de Jesus Cristo". Como acontece com quase todas as cartas de Paulo, também a data da carta a Filêmon é incerta. Pode ter sido escrita em Éfeso por volta dos anos 54-55, ou em Roma, uns dez ou doze anos depois (por volta de 67). Se Paulo nasceu, como se supõe, em torno do ano 5, ao escrever a Filêmon devia ter de 50 a 60 anos. Nessa faixa etária sente-se já "velho" (não sabemos desde quando), e pensamos que não esteja fugindo aos padrões de idade de seu tempo, ou seja, deve estar pensando como todo o mundo pensava a esse respeito. Parece fosse consenso considerar "velha" uma pessoa na faixa dos 50 anos.

Se I Timóteo for realmente de Paulo, encontramos nela duas indicações interessantes. A primeira ressalta a idade a partir da qual a viúva pode entrar no grupo das anciãs assistidas pela comunidade: "A mulher só será inscrita no grupo das viúvas com sessenta anos e não menos..." (5,9). A segunda refere-se à atitude do dirigente de comunidade diante de um ancião (*presbyteros* com o sentido de "velho") que, não se sabe por qual motivo, é merecedor de desaprovação: "Não repreenda duramente um ancião, mas o exorte como se fosse um pai" (I Timóteo 5,1a). Note-se a passagem da repreensão à exortação; de um simples membro de comunidade (quase súdito em relação ao dirigente) à condição de "pai", para o qual está reservado o mandamento de honrá-lo. Duas coisas o velho Paulo ensina com isto, a partir da própria experiência (a primeira carta a Timóteo seria um de seus últimos escritos): a certa altura da vida, dificilmente a pessoa se autossustenta (embora seja um direito seu) e passa a depender (cada vez mais) dos outros, às vezes até para os mais simples movimentos. Daí a necessidade de amparo (as viúvas a partir dos 60 anos). A segunda coisa, baseada no conselho de como tratar um ancião, é esta: a pessoa de idade merece respeito, consideração e até uma boa porcentagem de "desconto" por causa das limitações; em vez de bronca, exortação; em vez de tratamento ordinário, consideração extraordinária, como aquela que é devida aos pais. (Veja como este tema poderia ser desenvolvido com Eclesiástico 3,1-16.)

b. Velho por fora, novo por dentro

"Vão nascendo as rugas, morrendo as fugas e as ilusões.
Tateando as pregas se deixa entregue às recordações." (Taiguara)

Texto escrito por volta dos anos 54-55, quando devia ter cerca de 50 anos, 2 Coríntios 4 é um dos textos mais interessantes e cheios de contrastes, revelando a alma de Paulo. Encontra-se naquela fase da vida em que emergem inteiras a consciência da fragilidade e a constatação dos próprios limites, decorrentes do desgaste físico da idade que avança inexorável. Homem gasto pelas viagens, trabalhos, canseiras, prisões, naufrágios e tantas outras peripécias, constata que o físico vai se desfazendo. E isso certamente agravado por estas circunstâncias: atribulado por todos os lados, posto em extrema dificuldade, perseguido, prostrado por terra (4,8-9). Nota-se uma progressão que tende a ser quase fatal: cercado, sem saída, perseguido, derrubado por terra... uma situação de morte, semelhante à de Jesus (4,10). Apesar disso, nota-se uma reação espetacular que tende à vitória: não desanimado, não vencido pelos obstáculos, não abandonado, não aniquilado (4,8-9). Com uma constatação: nessa situação, viver é como ser entregue à morte a cada momento, por causa de Jesus e dos coríntios.

A ressurreição de Jesus, primícias da ressurreição de todas as pessoas, é a força que sustenta Paulo nessa luta cheia de contrastes e perigos aparentemente superiores à capacidade humana de vencê-los. Sua coragem interior, que se expressa na capacidade de resistir, é proporcionalmente oposta ao desgaste físico exterior: "É por isso que não perdemos a coragem. Pelo contrário: embora nosso físico vá se desfazendo, nosso homem interior vai se renovando a cada dia" (2 Coríntios 4,16). Não nos fuja o "a cada dia", espécie de fermento renovador cotidiano. Paulo encontra dentro de si uma reserva de energias capaz de fazer reverter o desgaste físico externo. (Shakespeare dizia "quando a forma envelhece, a mente e a alma enobrecem".) O texto nada diz de quando o desgaste exterior e interior começaram a se corresponder. Neste caso, talvez devamos reler as orientações do item anterior.

c. Organização da terceira idade

"Range o velho barco lamento amargo do que não fez.
E o futuro espelha esse mesmo velho que são vocês." (Taiguara)

Cá e lá encontramos sinais de que nas primeiras décadas de nossa era a terceira idade se organizava e era organizada. Isso fica claro se tomarmos a palavra "ancião" como sinônimo de liderança masculina à frente de uma comunidade. Neste sentido, há uma indicação importante em Atos 14,23, final da primeira viagem de Paulo: "Os apóstolos designaram anciãos para cada comunidade; rezavam, jejuavam e os confiavam ao Senhor, no qual haviam acreditado". Evidentemente não se trata aqui de um ministério ordenado (presbiterado), como talvez desejassem alguns, para justificar biblicamente a ordenação de padres. Anciãos eram, neste caso, a única liderança, encarregada de todas as funções de animação, à frente de uma comunidade incipiente. Eram pessoas idosas? Não necessariamente. Pelo menos maduras e, sobretudo, capazes de conduzir com serenidade a caminhada dessas novas comunidades. Em outros textos atribuídos a Paulo esse tema se torna mais claro. Fala-se até de uma corporação de anciãos que "impôs as mãos" em Timóteo (1 Timóteo 4,14). Nessa mesma carta (5,17-20) são vistos como pessoas preparadas e até remuneradas, com mais de uma função, alvos de possíveis calúnias e difamações. Tito se deteve na ilha de Creta justamente para nomeação de anciãos em cada cidade (Tito 1,5).

Desde o Antigo Testamento, as viúvas estavam entre as pessoas mais desprotegidas e visadas pela ganância dos inescrupulosos. As passagens são muitas. Basta lembrar Êxodo 22,21-23 – legislação que as defende; Salmo 68,6, em que há um título importante dado a Javé ("pai dos órfãos e protetor das viúvas"); Marcos 12,40, acusação violenta de Jesus contra dos doutores da Lei que, sob pretexto de piedade, devoram as casas das viúvas.

Nesse contexto, vale a pena ver o que Lucas diz em sua obra (Evangelho e Atos). Em um texto que só ele relata (18,1-8), Jesus apresenta a viúva persistente que, às custas de insistência, obtém justiça de um juiz injusto. Aí a pergunta soa assim: "E Deus não faria justiça a seus escolhidos, que dia e noite gritam por ele? Será que vai fazê-los esperar" (18,7). Estendendo o olhar para a segunda parte da obra de Lucas (Atos dos Apóstolos), notamos *o modo como* Deus faz justiça às viúvas carentes, ou seja, mediante a ação solidária das comunidades. Alguns episódios chamam atenção: o ideal de partilha sem exclusões (2,42-47; 4,32-37), o atendimento às viúvas de origem grega (6,1-7) e a casa acolhedora de Tabita, onde se reúne um grupo de viúvas envolvidas com artesanato (9,36-43). É assim, mediante a solidariedade das comunidades, que Deus faz justiça a seus eleitos. É assim que as comunidades respeitam o título de "protetor das viúvas" dado a Deus.

Esse tema ressoa na primeira carta a Timóteo. Nota-se aí a tendência de certos cristãos em descarregar na comunidade todo o peso do cuidado para com as viúvas (como muitos fazem hoje, exilando seus velhos em um asilo). Seguindo o que se diz em Marcos 7,1-13, também aqui se insiste em que a primeira prova de religião ou de piedade consiste no sustento da viúva parente (mãe, avó...) ou da viúva não parente que encontrou um teto acolhedor na casa de um membro da comunidade. "Honre as viúvas que são realmente viúvas. Porém, se alguma viúva tiver filhos ou netos, estes aprendam primeiramente a cumprir seus deveres para com a própria família e a recompensar seus pais, pois isso é agradável diante de Deus. Aquela que é verdadeiramente viúva, que ficou sozinha, deposita sua confiança em Deus e persevera dia e noite em súplicas e orações. Mas a viúva que só busca prazer, mesmo se vive, já está morta. Portanto, ordene tudo isso, a fim de que elas sejam irrepreensíveis. Se alguém não cuida dos seus e principalmente dos que são de sua própria casa, esse renegou a fé e é pior que um incrédulo. A mulher só será inscrita no grupo das viúvas com sessenta anos e não menos, se tiver sido esposa de um só marido, se tiver em seu favor o testemunho de suas boas obras, criado filhos, sido hospitaleira, lavado os pés dos fiéis, socorrido os atribulados, aplicada a toda boa obra. Rejeite as viúvas mais jovens, pois, quando seus desejos se afastam de Cristo, elas querem se casar, tornando-se censuráveis por terem rompido seu primeiro compromisso. Além disso, elas aprendem a viver ociosas, correndo de casa em casa; elas não são apenas desocupadas, mas também fofoqueiras e indiscretas, falando o que não devem. Desejo, pois, que as viúvas jovens se casem, criem filhos e dirijam sua casa para não darem ao adversário nenhuma ocasião de maledicência. Porque já existem algumas que se desviaram, seguindo a Satanás. Se um fiel tem viúvas em sua família, preste socorro a elas; não se onere a igreja, a fim de que esta possa ajudar aquelas que são verdadeiramente viúvas" (I Timóteo 5,3-16).

As comunidades ligadas a Timóteo se organizaram para atender às necessidades da terceira idade mais dependente e carente, as viúvas. (Não se fala de viúvos porque, naquela cultura e contexto, os bens permaneciam sempre com os homens.) Note-se, ainda, como essas viúvas se parecem, quanto a seu "apostolado", com a anciã profetisa Ana do Evangelho de Lucas (2,36-38). O tratamento dado a elas é uma parcela de reconhecimento pelo muito que fizeram em solidariedade para com os excluídos.

Desde seus primeiros passos, as comunidades cristãs tiveram carinho especial para com as viúvas. Elas se tornaram um lar para quem não tinha casa, concretizando o carinho que Javé tem para com os desprotegidos (Salmo 146,9). Em outras palavras, acolhendo as viúvas, as comunidades são os braços e os abraços de Deus, seu calor humano e carinho para com a terceira idade desamparada. Desaparece, assim, aquela fatídica constatação de Deuteronômio 15,7-11a: "Não faltam indigentes na terra", retomada por João 12,8, pois as comunidades cristãs acolheram a ordem de Deuteronômio 15,11b: "É por isso que eu ordeno a você: abra a mão em favor de seu irmão, de seu pobre e de seu indigente na terra onde você está".

d. A sabedoria de Paulo idoso

"Ele sabe o mundo, o saber profundo de quem se vai.
O que não faria, pudesse um dia voltar atrás." (Taiguara)

Na Bíblia, o tema da sabedoria é mais vasto que o próprio oceano. Evidentemente, quando falamos de sabedoria não nos referimos à cultura ou erudição, mas ao sentido da vida, presente em cada coisa ou acontecimento.

Sabedoria é uma característica das pessoas idosas (Eclo 25,3-6), é a vocação de todo ser humano jovem e adulto. Pobres daquelas pessoas que, chegadas à terceira idade, são estéreis em sabedoria! Não há outra alternativa para a velhice: ou produzimos sabedoria – que se manifesta no saber viver com sabor – ou geramos como veneno a insensatez, para nós próprios ou para os outros. Gerar sabedoria na terceira idade é um ato divino, pois, segundo a Bíblia, sabedoria é o grande atributo de Deus, sua marca registrada. Paulo chega a afirmar que Deus é o *único sábio* (Romanos 16,27). E a pessoa que produz sabedoria para si e para os outros encontra-se no cerne de Deus.

O Novo Testamento, de modo geral, aprecia bastante o tema da sabedoria. Nós é que raramente o lemos em chave sapiencial. Mas não resta dúvida: o próprio Jesus, de acordo com o Prólogo de João (1,1-18) é a Sabedoria encarnada.

Paulo também fala disso em suas cartas. Os exemplos poderiam se multiplicar. Aqui, entretanto, vamos contentar-nos com breves exemplos, tirados da primeira carta aos Coríntios. Nela, o tema "sabedoria" é amplamente tratado em 1,17-2,16; 3,18-23, entrelaçado com o tema da centralidade de Cristo e da função periférica dos evangelizadores Paulo e Apolo. "Nós anunciamos Cristo crucificado, escândalo para os judeus e loucura para os pagãos. Mas para aqueles que são chamados, tanto judeus como gregos, Ele é o Messias, poder de Deus e sabedoria de Deus. A loucura de Deus é mais sábia do que os homens, e a fraqueza de Deus é mais forte do que os homens" (1,23-25).

Em Corinto, a sabedoria de Deus se manifestou de modo surpreendente e até escandaloso para as elites do saber (a cidade era, na época, um "santuário cultural"): Deus escolheu os excluídos do saber, do poder político (fracos) e do poder aquisitivo/econômico (hoje diríamos aqueles que não contam para os objetivos do mercado), confiando-lhes o projeto de Deus: "Irmãos, vocês que receberam o chamado de Deus, vejam bem quem são vocês: entre vocês não há muitos intelectuais, nem muitos poderosos, nem muitos de alta sociedade. Mas Deus escolheu o que é loucura no mundo, para confundir os sábios; e Deus escolheu o que é fraqueza no mundo, para confundir o que é forte. E aquilo que o mundo despreza, acha vil e diz que não tem valor, isso Deus escolheu para destruir o que o mundo pensa que é importante" (1,26-28).

A sabedoria de Deus, que não se orienta pela sabedoria humana, escolheu os excluídos de Corinto graças à sensibilidade e ao olhar novo do Paulo idoso. Ele próprio, para falar dessa misteriosa sabedoria de Deus, comportou-se como "louco" aos olhos da elite, dona do saber (2,1-5.13-14).

e. Testamento de um homem em fim de vida

"Em seu dorso farto carrega o fardo de caracol.
Mas espera atento que o céu cinzento lhe traga o sol." (Taiguara)

"Quanto a mim, meu sangue está para ser derramado em libação, e chegou o tempo de minha partida. Combati o bom combate, terminei minha corrida, conservei a fé. Agora só me resta a coroa da justiça que o Senhor, justo juiz, entregar-me-á naquele Dia; e não somente para mim, mas para todos os que tiverem esperado com amor sua manifestação. Procure vir logo a meu encontro, pois Demas me abandonou, preferindo o mundo presente. Ele partiu para Tessalônica, Crescente para a Galácia, Tito para a Dalmácia. Somente Lucas está comigo. Procure Marcos e traga-o com você, porque ele pode ajudar-me no ministério. Mandei Tíquico para Éfeso. Quando você vier, traga-me o manto que deixei em Trôade, na casa de Carpo. Traga também os livros, principalmente os pergaminhos. Alexandre, o ferreiro, causou-me muitos males. O Senhor o recompensará conforme suas obras. Você também, tome cuidado com ele, pois ele foi muito contrário a nossa pregação. Em minha primeira defesa no tribunal, ninguém ficou a meu lado; todos me abandonaram. Que Deus não ponha isso na conta deles! Mas o Senhor ficou comigo e me encheu de força, a fim de que eu pudesse anunciar toda a mensagem, e ela chegasse aos ouvidos de todas as nações. E assim eu fui liberto da boca do leão. O Senhor me libertará de todo mal e me levará para seu Reino eterno. Ao Senhor, glória para sempre. Amém!" (2 Timóteo 4,6-18)

Supondo que seja um texto genuíno de Paulo, a segunda carta a Timóteo se apresenta com um "testamento" de um homem em fim de vida. É um testamento povoado de imagens e recordações fortes, típicas da terceira idade; olha para trás, avaliando a longa e dura caminhada de militância, qual *soldado* que deu tudo de si, qual *atleta* que se empenhou na corrida e agora chegou ao fim. Como *discípulo* de Cristo, conservou a fé. (É interessante observar os verbos no passado, sinal de que estamos diante de uma revisão de caminhada.)

Olhando para os poucos dias que restavam, sentiu que estava chegando o momento xis, de derramar o sangue, como no Antigo Testamento se derramavam libações de vinho sobre as vítimas. Outra imagem interessante que povoou a memória desse ancião foi a partida do navio, quando se soltaram as velas à espera do vento que levaria a um novo porto. Ele esperou, lá chegando, receber a premiação (coroa) das mãos do justo juiz, premiação que partilha com muitas pessoas... Foi assim que se aproximou da morte, como alguém que espera o prêmio, sem medo.

Não bastasse o sofrimento da prisão, tratava-se de um velho abandonado por todos, exceto por Lucas. Deve ter sido doloroso ver Demas ir embora, "preferindo o mundo presente". Aproveitou os últimos dias da vida para organizar as comunidades mediante os colaboradores que viajavam. Ele próprio precisou da presença de Marcos, sinal de que o tempo curou as feridas de grave desentendimento anterior (Atos 13,13; 15,37-39). A situação do velho presidiário se agravava, talvez no inverno, pela falta de agasalho, a ponto de querer recuperar o capote deixado em Trôade. No passado, parece que não se queixava tanto do frio (2 Coríntios 11,27; Romanos 8,35). Até os materiais de pregação e de comunicação com as comunidades (livros e pergaminhos) deveriam ser recuperados, e isso denota o aperto econômico em que se encontrava. Não quis fazer justiça com as próprias mãos contra as maldades do ferreiro Alexandre.

O abandono foi total. Tido como cidadão romano pelos Atos dos Apóstolos, estava sem advogado de defesa. Mesmo assim, conseguiu perdoar seus inimigos, como o Jesus do Evangelho de Lucas (23,34) ou como o Estêvão que ele ajudou a executar (Atos 7,60-8,1). O fim da vida proporciona frutos saborosos, como o perdão incondicional, à semelhança do que fez Jesus.

A breve trégua entre uma sessão e outra do tribunal não o iludiu. E sua esperança começou a brilhar, iluminando um novo horizonte: "O Senhor me libertará de todo mal e me levará para seu Reino eterno". Como diz o poeta: "Mas espera atento que o céu cinzento lhe traga o sol".

Conclusão

Tocamos brevemente cinco itens ligados ao tema "Paulo e os idosos". Cada pessoa acolhe esses itens de um modo próprio, segundo a fase da vida em que se encontra. Daí deduzimos que o olhar de cada pessoa pode ser diferenciado. Quem é jovem não tem muita coisa atrás de si para meditar e contemplar, agradecer, perdoar. Quem está na terceira idade talvez não vislumbre um futuro tão amplo pela frente para planejar, programar, executar.

Quem está na terceira idade não pode deixar de sonhar, "pois os sonhos alimentam a chama/ e me dizem que viver vale a pena,/ desde que a alma não fique pequena/ no peito de quem espera e ama". E, sonhando, transmite sabedoria, o saber viver com sabor.

O ministério de Paulo

Nas cartas do apóstolo Paulo, duas palavras gregas são traduzidas por “ministro”: *leitourgós* (Romanos 15,16) e *diákonos* (Efésios 3,7; Colossenses 1,23.25). A primeira dá origem às palavras liturgo, liturgia, litúrgico etc.; da segunda vêm diácono e derivados. Do exame desses dois termos surgirá com clareza o sentido de nosso tema.

Romanos 15,16: “Sou ministro de Jesus Cristo para os pagãos. Minha função sagrada: (anunciar) o Evangelho de Deus, para que a oferta dos pagãos seja agradável, santificada pelo Espírito Santo”. Temos aqui *a origem* do ministério de Paulo (Jesus Cristo), *os destinatários* (os pagãos), *a essência* do ministério (o Evangelho de Deus) e *a finalidade* (a santificação dos pagãos, que se tornam oferta pela fé).

Além da dimensão trinitária (Jesus Cristo, Deus, Espírito Santo), notamos um contexto tipicamente litúrgico e sacerdotal.

As palavras "ministro" (*leitourgós*), "função sagrada" (*hierourgounta*), "oferta" (*prosforá*) e "santificada" (*hegiasméne*) pertencem ao ambiente da liturgia. Podemos afirmar então estarmos diante de algo que Paulo considerou sagrado, um ministério que ele exerceu como sendo seu sacerdócio: o anúncio do Evangelho de Deus em meio aos pagãos.

No início da carta aos Gálatas, vemos reforçada essa ideia, pois aí ele afirmou ter recebido esse ministério do próprio Deus e de Jesus Cristo, sem depender da vontade humana. E foi radicalmente fiel a essa missão sagrada, a ponto de afirmar: "Ai de mim se não anuncio o Evangelho" (1 Coríntios 9,16).

Toda a vida dele esteve voltada para esse objetivo, rompendo barreiras, pois considerava elitista e superada a ideia de que Deus fosse o monopólio de Israel. Para ele, o Deus que se revelou a um povo não faz acepção de raça, condição social ou gênero (cf. Gálatas 3,28).

Esse foi seu ministério, sua contínua busca. Enfrentou preconceitos, por exemplo, a afirmação de alguns, segundo os quais somente o grupo dos doze era o que podia usar o título "apóstolo", com alguns privilégios daí decorrentes (cf. Mateus 10,10). É interessante perguntar por que o autor dos Atos dos Apóstolos, que fez de Paulo o personagem mais importante, nunca lhe atribuiu o título "apóstolo". Paulo, ao contrário, usou-o e defendeu-o como algo recebido de Deus (cf. Romanos 1,1; 1 Coríntios 1,1; 9,1; 2 Coríntios 1,1; Gálatas 1,1 etc.).

Exerceu esse ministério criando estratégias pioneiras, próprias de um desbravador. Ministro de Jesus Cristo para os pagãos, privilegia as metrópoles (Roma, Corinto, Éfeso, Antioquia da Síria, Filipos, Tessalônica etc.), fundando nas casas igrejas domésticas (cf. Atos 18,1ss), abrindo campo enorme para a liderança das mulheres (cf. Atos 16,15). Acreditava que o pequeno núcleo cristão implantado na grande cidade cresceria e estenderia seus ramos até as periferias e cidades menores, como previa aos coríntios (cf. 2 Coríntios 10,15) e como aconteceu em Colossas (cf. Colossenses 1,7; Fm 1ss).

Estava tão convicto disso que, por volta do ano 56, planejou abrir nova fronteira, a Espanha (Romanos 15,24.28), pois a Ásia não lhe oferecia mais espaço para exercer seu ministério (cf. Romanos 15,23): sua estratégia fecundou toda a Ásia. Era hora, pois, de partir.

Se *leitourgós* define o que significa o ministério de Paulo, a palavra *diákonos* esclarece *o modo* como ele o realizou. "Servidor" é sua melhor tradução. "... Eu, Paulo, tornei-me ministro (*diákonos*, ou seja, *servidor*) desse Evangelho... Eu me tornei ministro (*diákonos*) da Igreja, quando Deus me confiou esse encargo junto a vós: anunciar a realização da Palavra de Deus..." (Colossenses 1,23.25).

A palavra *servo* é muito importante aqui, pois aprofunda o sentido de *diákonos*. Podemos então afirmar que Paulo exerceu seu ministério como um servidor/escravo que cumpriu ordens superiores, vindas de Deus. Ele disse em 1 Coríntios 9: "Não foi iniciativa minha. Eu recebi de Jesus Cristo uma ordem: anunciar o Evangelho aos pagãos. Sendo assim, não posso reivindicar direitos ou privilégios, salário ou recompensa, pois sou apenas um servidor. Só há um modo para mim: transmitir a Boa-Nova de graça, como fiel servo cumprindo ordens. Minha única saída é fazer-me servo de todos".

Ele certamente estava a par do que disse seu Senhor: "Quando tiverdes feito todas essas coisas, dizei: Somos servos inúteis, pois fizemos apenas nossa obrigação" (cf. Lucas 17,10).

A carta aos Filipenses tem um poema profundo a respeito de Jesus (2,6-11), e foi nele que Paulo se espelhou. Aí se afirma que Jesus, estando em pé de igualdade com Deus, esvaziou-se, assumiu a condição de servo, fez-se obediente até a morte de cruz. Deus então o ressuscitou e o exaltou, conferindo-lhe o título de Senhor.

Paulo se espelhou aqui para exercer seu ministério. Ele desfrutava de posição privilegiada: era fariseu irrepreensível (3,6), mas se esvaziou, considerando lixo seus antigos privilégios (3,7ss); fez-se servo (1,1), disposto a morrer (1,21-23). Assim agindo, esperou alcançar o poder da ressurreição e o prêmio (3,10.14).

Para ele, o título mais importante – apóstolo (1 Coríntios 12,28) – não conferia privilégios ou regalias, e sim obrigação que se traduziu em serviço gratuito e dedicação total. Ele próprio o afirmou: "Pelo que vejo, Deus reservou o último lugar para nós que somos apóstolos, como se estivéssemos condenados à morte, porque nos tornamos espetáculo para o mundo, para os anjos e para os homens! Nós somos loucos por causa de Cristo; e vós, como sois prudentes em Cristo! Nós somos fracos, vós sois fortes! Sois bem considerados, nós somos desprezados! Até agora passamos fome, sede, frio e maus-tratos; não temos lugar certo para morar; e nos esgotamos, trabalhando com nossas próprias mãos. Somos amaldiçoados, e abençoamos; perseguidos, e suportamos; caluniados, e consolamos. Até hoje somos considerados como o lixo do mundo, o esterco do universo" (1 Coríntios 4,9-13).

E concluiu: "Esse é nosso ministério. Nós o temos pela misericórdia de Deus; por isso, não perdemos a coragem. Renunciamos ao comportamento secreto e vergonhoso, não agimos com astúcia, nem traficamos a palavra de Deus. Ao contrário, manifestando a verdade, recomendamo-nos diante de Deus à consciência de cada pessoa" (2 Coríntios 4,1-2).

Índice

A marca FSC® é a garantia de que a madeira utilizada na fabricação do papel deste livro provém de florestas que foram gerenciadas de maneira ambientalmente correta, socialmente justa e economicamente viável.

Este livro foi composto com as famílias tipográficas Bellevue e Gil Sans
e impresso em papel Pólen Soft 80g/m² pela Gráfica Santuário.